Le Fantôme de l'Opéra

Activités de **Didier Roland**

Illustrations de **Gianni De Conno**

Rédaction : Maréva Bernède
Direction artistique et conception graphique : Nadia Maestri
Mise en page : Carlo Cibrario-Sent, Simona Corniola
Recherche iconographique : Alice Graziotin

Première édition : janvier 2013

Crédits photographiques : Istockphoto ; Dreams Time ; Shutterstock Images ; Rue des Archives/Tips Images : 4h ; Web Photo : 5h ; Rue des Archives/Tips Images : 26h ; © 01 DISTRIBUTION/Web Photo : 26b ; Rue des Archives/Tips Images : 27, 28 ; © WARNER BROS/Web Photo : 30hg, bd ; De Agostini Pictures Library : 64 ; Web Photo : 68 ; Screen prod/Tips Images : 69hg ; © 01 DISTRIBUTION/Web Photo : 69hd ; © UNIVERSAL PICTURES/Web Photo : 69b ; AFP/Getty Images : 77b ; Tips Images : 103.

Pour toute suggestion ou information, la rédaction peut être contactée à l'adresse suivante :
info@blackcat-cideb.com
blackcat-cideb.com

Member of CISQ Federation

RINA
ISO 9001:2008
Certified Quality System

The design, production and distribution of educational materials for the CIDEB brand are managed in compliance with the rules of Quality Management System which fulfils the requirements of the standard ISO 9001 (Rina Cert. No. 24298/02/S - IQNet Reg. No. IT-80096)

ISBN 978-88-530-1336-1   Livre + CD

Imprimé en Italie par Litoprint, Gênes

Sommaire

Le texte est intégralement enregistré.

 Ce symbole indique les chapitres et les activités enregistrés et le numéro de leur piste.

 Les exercices qui présentent cette mention préparent aux compétences requises pour l'examen.

Gaston Leroux

Né à Paris en 1868, Gaston Leroux passe son enfance et son adolescence en Normandie. Après avoir obtenu son baccalauréat, il se rend à Paris pour suivre des études de droit. Il devient avocat, mais montre des prédispositions pour l'écriture. Après trois années passées au barreau, il écrit des chroniques judiciaires pour *L'Écho de Paris*, puis il est grand reporter au *Matin*. Entre 1894 et 1906, il voyage donc à travers le monde, et rapporte de nombreux et passionnants articles. Il abandonne un jour le journalisme pour devenir romancier. Son expérience de journaliste et d'avocat va alors lui être très utile. Leroux devient célèbre en 1907. Il publie dans *L'Illustration* son roman *Le mystère de la chambre jaune*, dans lequel il introduit une nouveauté dans le genre policier : le crime se déroule dans une pièce fermée. C'est dans ce premier roman qu'apparaît le célèbre personnage de Rouletabille. D'autres romans vont suivre. Citons par exemple *Le parfum de la dame en noir* (1908), qui est la suite du *Mystère de la chambre jaune*, et le cycle de *Chéri-Bibi* (1913-1925).

GASTON LEROUX

Le Fantôme de l'Opéra

EDITIONS PIERRE LAFITTE -

Le Parfum de la dame en noir, Bruno Podalydès, 2005.

Cet écrivain est considéré comme l'un des principaux représentants du roman-feuilleton. Ses récits tiennent le public en haleine et font augmenter les ventes du journal dans lequel ils sont publiés. En plus des énigmes policières, Gaston Leroux écrit des récits d'épouvante, comme *Le Fantôme de l'Opéra* (1910) et *La Poupée sanglante* (1923).

Les coups de théâtre, la dimension psychologique assez simpliste des personnages et l'humour constituent les principaux ingrédients utilisés par Gaston Leroux pour pimenter ses intrigues.

Gaston Leroux meurt à Nice en 1927.

Le mystère de la chambre jaune
Gaston Leroux
Une aventure de Joseph Rouletabille, reporter

Compréhension écrite

1 Lisez le dossier, puis complétez le tableau avec les informations demandées.

Date de naissance	
Études	
Deux métiers faits par Gaston Leroux	
Deux romans policiers écrits par Gaston Leroux	
Deux histoires qui font peur écrites par Gaston Leroux	
Principales caractéristiques de ses récits	
Date de mort	

2 Relisez le dossier, puis complétez les phrases.

Gaston Leroux a vécu jusqu'à l'adolescence en (**1**) ....
Pour suivre des études de droit, il part s'installer à
(**2**) .... Il est avocat pendant trois ans, puis il
accepte un poste de (**3**) .... Entre 1894 et 1906,
il (**4**) .... partout dans le monde et il écrit de
nombreux articles. Sa passion pour l'(**5**) .... l'amène
à publier dans le journal *L'Illustration* le roman qui s'appelle
(**6**) .... Dans ce roman, il introduit une nouveauté
dans le genre policier : (**7**) .... Il publie également
des récits d'épouvante, tel que (**8**) .... que vous allez
bientôt découvrir dans ce volume.

Personnages

De gauche à droite et de haut en bas : le Persan, Raoul de Chagny, le fantôme de l'Opéra, Christine Daaé.

Que se passe-t-il à l'Opéra ?

Cette année, il se passe des événements étranges à l'Opéra. On raconte en effet qu'un fantôme se promène dans les coulisses. Personne ne sait vraiment depuis quand ces rumeurs circulent. Certains disent que c'est Joseph Buquet qui en a parlé en premier.

Joseph Buquet est le chef machiniste. C'est un homme calme, sérieux et travailleur. Il dit avoir rencontré, dans les couloirs de l'Opéra, une personne qui portait un costume noir. Il pensait que c'était un spectateur, mais lorsqu'il l'a vue de près, il s'est rendu compte que cet effrayant personnage avait une tête de mort à la place du visage ! Il était très mince, sa peau était jaune et il avait deux trous à la place des yeux !

Depuis ce jour-là, plusieurs employés de l'Opéra ont assisté à d'inquiétants phénomènes. Pampin, le chef des pompiers, raconte qu'une tête de feu l'a poursuivi lorsqu'il était dans les sous-sols. Il est catégorique : la tête de feu n'avait pas de corps !

Ces histoires et ces rumeurs terrorisent tout le personnel. Les jeunes danseuses sont épouvantées. Selon elles, le fantôme est responsable de tous les incidents qui ont lieu à l'Opéra.

Un soir, la danseuse étoile Sorelli est en train de relire le discours qu'elle a préparé pour la fête de départ des deux directeurs, messieurs Debienne et Poligny. Soudain, plusieurs jeunes danseuses entrent dans sa loge en criant très fort.

— Nous l'avons vu ! Nous l'avons vu ! hurle l'une d'entre elles. Nous avons vu le fantôme !

La Sorelli ne croit pas vraiment les jeunes filles, mais elle est très superstitieuse et cette histoire de fantôme la tourmente. Elle essaie de cacher sa peur et dit aux danseuses :

— Il ne faut pas avoir peur, le fantôme n'existe pas !

— Mais nous l'avons vu de nos propres yeux ! dit l'une des jeunes filles. Et Gabriel l'a vu, lui aussi !

— Gabriel, le maître de chant ? demande la Sorelli. Et qu'est-ce qu'il a dit ?

— Il a raconté qu'il était dans le bureau des directeurs lorsqu'un homme étrange est entré. C'était le Persan. Vous le connaissez ?

À l'Opéra, tout le monde connaît le Persan. Les jeunes danseuses ont très peur de lui : elles pensent qu'il a le mauvais œil.

— Oui, je le connais. Mais que s'est-il passé ? demande la Sorelli, visiblement inquiète.

— Eh bien, Gabriel a vu le fantôme derrière le Persan. Il était terrifié !

— Et à quoi ressemble le fantôme ?

— Il est exactement comme l'a décrit Joseph Buquet : il porte un costume noir et a une tête de mort à la place du visage ! répond l'une des jeunes filles.

— Ma mère dit que Joseph Buquet ferait mieux de se taire, poursuit à voix basse Meg, l'une des danseuses. Elle dit aussi qu'il faut laisser le fantôme tranquille : il n'aime pas être dérangé, surtout dans sa loge...

— Le fantôme a une loge ? demandent en même temps les jeunes filles.

— Oui, la numéro 5. C'est ma mère qui s'occupe de cette loge, dit Meg. Elle doit rester libre pour le fantôme. C'est un ordre des directeurs.

— Ta mère a déjà vu le fantôme, alors ? demande la Sorelli, ironique.

— Non, explique Meg, elle ne l'a jamais vu, car on ne peut pas le voir. Toutes les histoires qu'on a racontées sur sa tête de mort ou sur sa tête de feu sont absurdes. Par contre, elle a entendu sa voix. C'est normal, c'est elle qui lui donne le programme...

Les jeunes danseuses se regardent : elles ont du mal à croire l'histoire de Meg.

— En tout cas, ma mère dit que Joseph Buquet a tort de s'occuper des choses qui ne le regardent pas. Le fantôme n'aime pas ça. Il pourrait...

À ce moment-là, une femme ouvre la porte de la loge. Elle est horrifiée.

— C'est affreux ! C'est affreux ! hurle-t-elle.

— Que se passe-t-il ? demande la danseuse étoile.

— Joseph Buquet est mort ! Il s'est pendu ! On a retrouvé son corps dans un des sous-sols de la scène !

Bientôt, tout l'Opéra est au courant de la triste nouvelle. Par précaution, on décide de ne rien dire aux directeurs pour ne pas gâcher la fête d'adieu.

Compréhension écrite et orale

DELF ① Lisez le chapitre, puis cochez la bonne réponse.

1 À l'Opéra, il se passe des événements
  a ☐ amusants. b ☐ étranges.

2 Le chef machiniste a vu un homme qui portait
  a ☐ un costume noir. b ☐ une tête de mort.

3 Le fantôme a la peau
  a ☐ blanche. b ☐ jaune.

4 Les employés de l'Opéra
  a ☐ n'ont rien vu. b ☐ ont assisté à des faits bizarres.

5 Pampin est le chef
  a ☐ machiniste. b ☐ des pompiers.

6 La Sorelli est
  a ☐ astronome. b ☐ danseuse.

7 Une fête est organisée pour
  a ☐ Pampin. b ☐ les directeurs.

8 La mère de Meg Giry pense qu'il faut
  a ☐ chasser le fantôme. b ☐ laisser le fantôme tranquille.

9 Madame Giry donne au fantôme
  a ☐ le programme. b ☐ des fleurs.

10 Joseph Buquet s'est pendu
  a ☐ sur la scène. b ☐ dans un sous-sol.

DELF ② Relisez le chapitre, puis répondez aux questions.

1 Pourquoi les danseuses croient-elles Joseph Buquet maintenant ?
2 Qu'est en train de lire la Sorelli lorsque les jeunes danseuses entrent dans sa loge ?
3 Où Gabriel a-t-il vu le fantôme ?
4 À quoi ressemble le visage du fantôme ?
5 Qui donne le programme au fantôme ?
6 Qui annonce la nouvelle de la mort de Joseph Buquet ?

3 Retrouvez dans la grille le nom de dix personnages cités dans ce chapitre. Vous trouverez un message secret grâce aux lettres restantes.

```
J  O  S  E  P  H  B  U  Q  U  E  T  O
N  A  R  E  O  T  R  O  U  D  V  E  J
O  G  S  E  L  A  S  O  R  E  L  L  I
P  A  M  P  I  N  P  H  B  B  U  Q  U
E  B  M  E  G  T  M  O  R  I  T  D  A
N  R  S  L  N  D  A  N  S  E  U  S  E
E  I  S  S  Y  O  U  S  -  N  S  O  L
S  E  F  A  N  T  O  M  E  N  C  E  S
O  L  E  P  E  R  S  A  N  E  I  R  .
```

Grammaire

Voix active et voix passive

Ces histoires et ces rumeurs terrorisent tout le personnel.
→ *Tout le personnel est terrorisé par ces histoires et ces rumeurs.*

La première phrase est à la **voix active** et le verbe est suivi par un complément d'objet direct. La seconde phrase est à la **voix passive**.

Comment passe-t-on de la voix active à la voix passive ?

1 Placez le COD de la phrase à la voix active en début de phrase.
2 Mettez le verbe **être** au même temps que le verbe à la voix active.
3 Ajoutez le participe passé du verbe de la phrase à la voix active et accordez-le en genre et en nombre avec le sujet.
4 Placez le sujet de la phrase à la voix active après le verbe et faites-le précéder de **par** : on obtient ainsi un complément d'agent.

Après certains participes passés, on utilisera **de** ou **d'** : *accompagné, entouré, aimé, connu, précédé, suivi, composé…*

À la voix active, lorsque le sujet de la phrase est **on**, il n'y a pas de complément d'agent à la voix passive.

On a retrouvé son corps dans un des sous-sols.
→ *Son corps a été retrouvé dans un des sous-sols.*

4 Mettez les phrases à la voix passive.

1 Ces histoires et ces rumeurs terrorisent tout le personnel.

....

2 Le fantôme occupe cette loge.

....

3 Les employés et les danseuses invitent les directeurs à une fête.

....

4 Tous les employés apprécient le chef des pompiers.

....

5 Le fantôme suit le Persan.

....

6 La tête de feu a terrorisé Pampin.

....

7 Toutes les danseuses connaissent l'histoire du fantôme.

....

8 On a retrouvé le corps de Joseph Buquet.

....

5 Mettez les phrases à la voix active.

1 La Sorelli est étonnée par la réaction des jeunes danseuses.

....

2 La curiosité de Joseph Buquet a été éveillée par les rumeurs.

....

3 Tout le monde a été surpris par cette histoire.

....

4 L'Opéra est habité par un fantôme.

....

5 Le fantôme est précédé du Persan.

....

6 Le programme de l'Opéra est imprimé à Paris.

....

Enrichissez votre **vocabulaire**

6 Associez chaque lieu à l'image correspondante.

a les coulisses   **b** la scène   **c** une loge   **d** l'orchestre

1

2

3

4

7 Utilisez les mots de l'exercice précédent pour compléter la grille.

1 Partie du théâtre autour de la scène, non visible au public.

2 Vestiaire des artistes de théâtre.

3 Endroit du théâtre où jouent les acteurs.

4 Partie à proximité de la scène et un peu en contrebas, où se placent les musiciens.

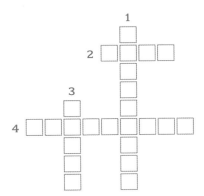

8 Complétez la lettre que Meg écrit à sa meilleure amie avec les mots proposés.

chef machiniste	corps	costume	départ	désespéré	drame
	fête	monde	ouvreuse	pendu	terrorisé	trous

Chère Aurore,

Je t'écris parce qu'il se passe des choses étranges à l'Opéra. Tout a commencé quand Joseph Buquet, le (1) ...., a raconté qu'il avait vu un homme étrange habillé d'un (2) .... noir. L'homme s'est retourné et Buquet a vu qu'il n'avait pas d'yeux, juste deux (3) ...., et qu'il avait une tête de mort. Il a raconté l'histoire à tout le (4) ...., et le personnel a été (5) .... par cette histoire. Ma mère, qui travaille comme (6) ...., a dit qu'elle connaissait le fantôme et qu'il valait mieux ne pas en parler. Tu te rends compte ? Il y a un fantôme ici et elle ne m'avait rien dit !

Après ça, il y a eu un véritable (7) .... : Buquet s'est (8) .... ! On a retrouvé son (9) .... juste avant la (10) .... d'adieu organisée pour le (11) .... des directeurs. Pauvre Buquet, il était probablement (12) .... à cause du fantôme qu'il avait vu. Voilà pourquoi je t'écris. J'espère que tu arriveras à me rassurer !

À bientôt ! Je t'embrasse très fort.

Meg

Production écrite et orale

9 Imaginez que vous êtes Aurore : écrivez une lettre de réponse à Meg.

Chère Aurore,

J'ai tremblé en lisant ta lettre et j'espère que tout cela ne te perturbe pas trop. J'imagine qu'il doit être difficile de travailler dans ces conditions...

Christine Daaé

Christine Daaé est arrivée à l'Opéra il y a quelques mois, mais elle n'a pas encore interprété de rôle important. Un soir cependant, Carlotta, la diva espagnole, tombe malade, et les directeurs demandent à mademoiselle Daaé de la remplacer. Christine chante quelques passages de Roméo et Juliette et de Faust, deux célèbres opéras composés par Charles Gounod. Sa voix est pure, sublime. Le public est émerveillé.

L'un des spectateurs écoute Christine Daaé avec un intérêt particulier. Il s'agit du jeune vicomte Raoul de Chagny. Il est accompagné de son frère aîné, Philippe.

— Elle n'a jamais aussi bien chanté, dit Raoul à son frère.

Toute la salle s'est levée pour applaudir la nouvelle diva. Soudain, la cantatrice, probablement trop émue, s'évanouit et tombe dans les bras de ses compagnons. On la transporte aussitôt dans sa loge. Raoul est inquiet, car il aime la jeune et belle Christine.

Il se dirige alors vers les coulisses pour la voir.

La porte de la loge est ouverte. Le médecin examine la cantatrice. Raoul, très ému, entre.

— Qui êtes-vous, monsieur ? demande Christine, troublée.

Raoul s'approche de la diva et embrasse sa main.

— Mademoiselle, je suis le petit garçon qui, il y a très longtemps, est allé récupérer votre écharpe dans la mer.

Christine se met à rire. Raoul est rouge de colère.

Le médecin prend alors Raoul par le bras et l'invite à quitter la loge avec lui pour que la cantatrice se repose. Une fois dans le couloir, le vicomte fait quelques pas, puis s'arrête : il doit absolument parler à Christine ! Il attend que le couloir se vide, puis il s'approche de la loge. Il est sur le point de frapper à la porte lorsqu'il entend une voix d'homme à l'intérieur de la pièce.

— Christine, il faut m'aimer ! dit la voix.

— Comment pouvez-vous me dire cela ? demande Christine d'une voix tremblante. Je ne chante que pour vous !

— Vous semblez si fatiguée..., dit l'homme.

— Oui. Ce soir, je vous ai donné mon âme, répond la diva.

— Et votre âme est très belle... Les anges ont pleuré ce soir !

À ces mots, Raoul s'éloigne de la porte. Son cœur bat très fort. Il se cache et attend : il veut voir l'homme que Christine aime. Quelques minutes plus tard, la diva sort de sa loge. Le couloir est très sombre, et elle ne voit donc pas le vicomte. Raoul attend, puis s'approche de la porte de la loge et entre. À l'intérieur, l'obscurité est totale. Il craque une allumette... la loge est vide !

Pendant ce temps, à l'étage supérieur, Debienne et Poligny assistent au dîner organisé en leur honneur. Il y a de nombreux invités ainsi que les nouveaux directeurs, Moncharmin et Richard. Soudain, des invités aperçoivent dans la salle un homme très

étrange. Il est pâle et porte un costume noir : il ressemble à la description faite par le chef machiniste...

Tout à coup, le mystérieux personnage se met à parler.

— Les danseuses ont raison, dit l'homme. La mort de ce pauvre Buquet n'est peut-être pas naturelle...

Debienne et Poligny sursautent. Personne ne leur a dit que Joseph Buquet était mort. Ils regardent cet étrange invité, se lèvent et demandent à leurs successeurs de les suivre dans leur ancien bureau. Là, ils leur parlent du fantôme et leur conseillent vivement de faire très attention. Les deux nouveaux directeurs se mettent à rire, persuadés qu'il s'agit d'une plaisanterie mise en scène pour leur départ.

— Mais enfin ! Que veut ce fantôme ? demande monsieur Richard, sur un ton amusé.

Monsieur Poligny prend alors le registre de l'Opéra.

— C'est très simple, dit il, tout est écrit là.

Messieurs Richard et Moncharmin ouvrent le registre rédigé à l'encre noire. Seul un petit paragraphe, ajouté à la fin, est écrit en rouge d'une écriture d'enfant.

> Les directeurs doivent donner au fantôme de l'Opéra 20 000 francs par mois, soit 240 000 francs par an.
> Ils doivent également lui réserver la loge numéro cinq à chaque représentation.

— C'est pour cette raison que nous partons, explique monsieur Debienne. Nous ne pouvons plus vivre ici.

— C'est vrai, poursuit monsieur Poligny. Gérer l'Opéra est devenu impossible avec le fantôme !

Les nouveaux directeurs sourient. Ils trouvent la plaisanterie particulièrement drôle.

Compréhension écrite et orale

1 **Lisez le chapitre, puis dites si les affirmations sont vraies (V) ou fausses (F).**

	V	F
1 Carlotta est d'origine espagnole.		
2 Raoul de Chagny est noble.		
3 Christine Daaé tombe dans les bras de Raoul de Chagny.		
4 Christine a déjà rencontré Raoul auparavant.		
5 Raoul entre dans la loge pour rendre à Christine l'écharpe qu'elle avait perdue.		
6 Les nouveaux directeurs ne prennent pas au sérieux l'homme au costume noir.		
7 Debienne et Poligny sont contents de quitter l'Opéra.		
8 Le fantôme envoie une lettre aux nouveaux directeurs.		

2 **Associez chaque fin de phrase à son début.**

Christine Daaé

1 ☐ Elle n'a pas encore interprété de rôle important
2 ☐ Elle émerveille le public,
3 ☐ Raoul est rouge de colère
4 ☐ Dans sa loge, elle parle
5 ☐ Elle quitte sa loge,
6 ☐ Elle perd connaissance

a avec un homme que Raoul n'arrive pas à voir.

b car sa voix est pure et sublime.

c parce qu'elle n'est à l'Opéra que depuis quelques mois.

d lorsque Christine se met à rire.

e mais quand Raoul entre il n'y a personne.

f parce qu'elle est trop émue.

Raoul

1 ☐ Il est émerveillé,

2 ☐ Lorsque Christine perd connaissance, il est très inquiet,

3 ☐ Il quitte la salle et se dirige vers la loge

4 ☐ Il entre une seconde fois dans la loge de Christine

5 ☐ Il craque une allumette,

6 ☐ Quand il était petit,

a car la loge de Christine est très sombre.

b car il tient beaucoup à elle.

c parce qu'il veut absolument s'assurer que Christine va bien.

d car Christine n'a jamais chanté aussi bien.

e pour découvrir avec qui elle parlait.

f Raoul a récupéré l'écharpe de Christine dans la mer.

Enrichissez votre **vocabulaire**

3 **Associez chaque mot (ou groupe de mots) souligné à son synonyme ou à sa définition.**

1 ☐ Carlotta tombe malade.

2 ☐ Christine doit remplacer la diva espagnole.

3 ☐ Philippe est le frère aîné de Raoul.

4 ☐ Le public s'est levé.

5 ☐ Le médecin dit à Raoul de quitter la loge.

6 ☐ L'homme au costume noir est pâle.

7 ☐ L'homme qui prend la parole est étrange.

8 ☐ Les nouveaux directeurs pensent que c'est une histoire drôle.

9 ☐ L'indemnité mensuelle est de 20 000 francs.

10 ☐ Les directeurs continuent à louer la loge.

a   est debout

b   prendre la place de

c   blanc

d   prêter la loge en échange d'argent

e   amusante

f   bizarre

g   grand frère

h   partir de

i   la somme à verser tous les mois

j   ne se sent pas bien

4 **Associez chaque mot à l'image correspondante.**

a   des allumettes   c   un registre   e   de l'encre

b   une écharpe   d   un cœur   f   l'obscurité

Grammaire

Les verbes en -*cevoir*

Les verbes qui se terminent en -**cevoir**, comme **recevoir** par exemple, ont une conjugaison irrégulière. Dans ces verbes, on met une cédille sous le **c** lorsqu'il est suivi d'un **a**, d'un **o** ou d'un **u**, afin de maintenir le son [s].

Indicatif présent	Passé simple	Passé composé	Futur simple
je reçois	je reçus	j'ai reçu	je recevrai
tu reçois	tu reçus	tu as reçu	tu recevras
il reçoit	il reçut	il a reçu	il recevra
nous recevons	nous reçûmes	nous avons reçu	nous recevrons
vous recevez	vous reçûtes	vous avez reçu	vous recevrez
ils reçoivent	ils reçurent	ils ont reçu	ils recevront

Les verbes suivants ont la même conjugaison que recevoir : **apercevoir, concevoir, décevoir, percevoir, s'apercevoir.**

5 **Complétez les phrases avec les verbes proposés, puis conjuguez-les au temps qui convient.**

> **apercevoir   décevoir   percevoir   recevoir   s'apercevoir**

A Hier, les directeurs de l'Opéra (**1**) .... une lettre.

Quand Christine ira mieux, elle (**2**) .... peut-être Raoul dans sa loge.

Les directeurs croient que les lettres qu'ils (**3**) .... sont une plaisanterie.

B Christine (**1**) .... Raoul lorsqu'elle fait semblant de ne pas le reconnaître.

Hier, l'absence de Carlotta (**2**) .... ses nombreux admirateurs.

Quand Raoul entrera dans la loge, la réaction du médecin le (**3**) ....

C Quand le spectacle a commencé, le public (**1**) .... que Carlotta n'était pas sur scène.

Quand l'homme au costume noir prendra la parole, les invités (**2**) .... de sa présence.

Lorsque Raoul entrera une seconde fois dans la loge, il (**3**) .... qu'il n'y a personne.

D Pendant qu'elle chante, Christine (**1**) .... l'émerveillement des spectateurs.

Le fantôme (**2**) .... 20 000 francs tous les mois quand les anciens directeurs étaient encore là.

Lorsqu'il examinera Christine, le médecin (**3**) .... des signes de fatigue extrême chez celle-ci.

E Joseph Buquet (**1**) .... le fantôme une fois avant de mourir.

Quand il est dans le bureau des directeurs, Gabriel (**2**) .... le fantôme juste derrière le Persan.

Personne n' (**3**) .... Raoul lorsqu'il attendra dans l'obscurité du couloir.

Production écrite et orale

DELF **6** **Vous êtes Philippe de Chagny, le frère de Raoul, et vous tenez un journal intime. Vous y racontez votre soirée à l'Opéra.**

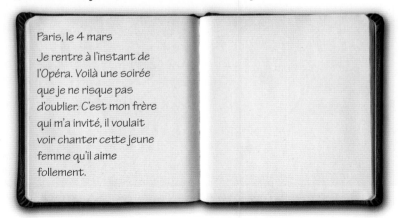

Paris, le 4 mars

Je rentre à l'instant de l'Opéra. Voilà une soirée que je ne risque pas d'oublier. C'est mon frère qui m'a invité, il voulait voir chanter cette jeune femme qu'il aime follement.

Deux autres *personnages effrayants*

Belphégor, le « fantôme du Louvre »

Belphégor est le nom du personnage d'une série française de quatre épisodes diffusée en 1965. Ce personnage a ensuite été repris au cinéma en l'an 2000.

Série télévisée *Belphégor*, avec Juliette Greco, 1965.

Belphégor porte un long manteau noir et un masque sur le visage. Il vient hanter le département égyptologie du musée du Louvre, en se déplaçant d'une salle à l'autre. Des morts suspectes ont lieu. Un jeune étudiant va alors se lancer à la poursuite du suspect qui disparaît toujours tel un fantôme, d'où son surnom de « fantôme du Louvre ». Le **commissaire Ménardier**, chargé de l'enquête, voudrait savoir qui se cache derrière ce masque.

Belphégor, le fantôme du Louvre, Jean-Paul Salomé, 2001.

Fantômas, André Hunebelle, 1964.

Dans le film, sorti en l'an 2000 au cinéma, Martin, un jeune électricien, est aidé de Lisa, interprétée par **Sophie Marceau**, et de Verlac, un commissaire à la retraite qui a déjà eu à faire au fantôme, à découvrir la véritable identité de Belphégor. Dans ce film, tout commence lorsqu'une momie aux pouvoirs maléfiques lance une malédiction : c'est elle qui crée le fantôme. Tout comme dans la série, le personnage porte un long manteau noir et un masque sur le visage. Il semble invincible. Suite à la mort d'un gardien du musée du Louvre, symbolisé par la **pyramide en verre de Pei**, des événements étranges vont avoir lieu et l'enquête va commencer...

Fantômas

Ce personnage est tiré de l'œuvre de **Marcel Allain** et de **Pierre Souvestre**. Dans les années 1960, **André Hunebelle** s'inspire librement de ces romans pour réaliser trois films.

Jean Marais y jouait à la fois le rôle de Fantômas et du journaliste Fandor, tandis que **Louis de Funès** partait à sa recherche en interprétant le rôle du commissaire Juve. **Mylène Demongeot**, quant à elle, tenait le rôle d'Hélène Gurn, la fiancée de Fandor.

Fantômas se déchaîne, André Hunebelle, 1965.

Fantômas est toujours habillé de noir. Sa tête est effrayante, car elle est complètement bleue. Petit à petit, le commissaire Juve est convaincu que le malfaiteur parisien n'est autre que le journaliste Fandor. En effet, Fantômas avait déclaré pouvoir prendre l'apparence de ses victimes et il avait ainsi commis des vols sous les traits de Fandor. Juve comprend cependant qu'il ment et que Fandor et Fantômas ne font qu'un. Mais, Fantômas n'a pas dit son dernier mot et ridiculisera le commissaire Juve pour protéger son identité.

Compréhension écrite

1 **Lisez la partie du dossier sur Belphégor, puis complétez le résumé.**

Belphégor est surnommé le (**1**) « .... ». Il porte un (**2**) .... et un (**3**) .... sur son visage. Il circule principalement dans les salles et les couloirs du département (**4**) .... du musée du (**5**) ...., symbolisé par la (**6**) .... de (**7**) .... Au départ, ce personnage apparaissait dans une (**8**) ...., puis il a été repris au cinéma. Dans le film, Sophie Marceau joue le rôle de Lisa, qui aidera Martin, un (**9**) .... à découvrir la véritable identité de Belphégor. Ce fantôme apparaît suite à une (**10**) .... lancée par une (**11**) ....

Lisez la partie du dossier sur Fantômas, puis répondez aux questions.

1 Qui a créé Fantômas ?
2 Dans la trilogie, qui interprète le rôle du commissaire Juve ?
3 Quelle caractéristique physique rend Fantômas effrayant ?
4 Selon le commissaire Juve, qui est en réalité Fantômas ?
5 Pourquoi pense-t-il cela ?
6 De quels crimes est accusé Fantômas ?

❸ **Complétez la grille de mots croisés à l'aide des définitions et découvrez le mot mystère. Tous les mots se trouvent dans le dossier.**

1 Mort d'origine égyptienne entouré de bandelettes.
2 Personne ne pouvant être battue.
3 Verbe signifiant « fréquenter un lieu ». Ce verbe est souvent utilisé pour les monstres ou les fantômes apparaissant dans des châteaux ou bien dans des maisons abandonnées.
4 Lieu où vit Belphégor.
5 Manifestation surnaturelle d'une personne qui est morte.
6 Personne qui surveille un musée.
7 Recherche réalisée par les inspecteurs de police pour découvrir la vérité.
8 Ville où se déroule les histoires de Belphégor et Fantômas.
9 Symbole du musée du Louvre et monument funéraire égyptien.

Quel monstre de la mythologique grecque vivait enfermé dans un labyrinthe ?
Le _ _ _ _ _ _ _ _

29

4 **Associez chaque monstre à sa description.**

| Double-face | le basilic | Cerbère | un loup-garou | Voldemort |

1 ☐ .... : dans Harry Potter, il peut prendre différents aspects. C'est le plus grand ennemi de Harry, Ron et Hermione.

2 ☐ .... : personnage schizophrène dans Batman. Il a deux visages : le bien et le mal. Il a toujours une pièce de monnaie avec lui. Le côté où tombe cette pièce quand il la lance en l'air détermine s'il continue ou arrête ses méfaits.

3 ☐ .... : monstre qui se transforme en animal poilu pendant la pleine lune.

4 ☐ .... : animal légendaire mi-coq mi-serpent qui peut provoquer la mort d'un seul regard ou bien d'une seule morsure.

5 ☐ .... : chien mythologique qui a trois têtes et une queue de dragon. Il est le gardien des Enfers.

Le mystère de la loge numéro 5

Les premiers jours, Richard et Moncharmin sont très occupés par leur nouveau travail, et ils oublient l'histoire du fantôme. Cependant, quelques jours plus tard, ils reçoivent une lettre écrite à l'encre rouge d'une écriture d'enfant.

> Mes chers directeurs,
> Vous avez attribué la loge numéro 5 à d'autres personnes. Si vous voulez travailler en paix à l'Opéra, ne faites plus jamais cela !
> Votre humble serviteur,
> Le fantôme de l'Opéra

Le lendemain, les directeurs reçoivent une autre lettre du fantôme, écrite, elle aussi, en rouge d'une écriture d'enfant. Cette fois-ci, il réclame son indemnité mensuelle de 20 000 francs.

— C'est sûrement Debienne et Poligny qui continuent leur plaisanterie, dit Richard. Nous ne devons pas y penser, voilà tout.

— Oui, mais cette plaisanterie n'est vraiment plus amusante ! poursuit Moncharmin.

Les nouveaux directeurs décident donc de continuer à louer la loge numéro 5. Le surlendemain, l'un des directeurs trouve sur son bureau le rapport d'un employé décrivant les étranges événements qui se sont produits la veille. En effet, les spectateurs de la loge numéro 5 ont perturbé la représentation et dérangé le public par leurs rires et leurs conversations. L'employé écrit qu'il a dû appeler un garde municipal pour faire évacuer la loge à deux reprises, au début et au milieu du deuxième acte.

Messieurs Moncharmin et Richard décident de mener leur enquête. Ils font venir l'employé dans leur bureau.

— Que s'est-il passé hier soir dans la loge numéro 5 ? demande monsieur Richard.

— Les spectateurs de la loge numéro 5 se sont très mal comportés dès leur arrivée, au début du deuxième acte. Ils sont entrés dans la loge, et en sont ressortis aussitôt en racontant qu'une voix leur avait dit : « Il y a déjà quelqu'un, cette loge est occupée ». Ils ont ensuite mieux regardé à l'intérieur : il n'y avait personne. Alors, ils se sont installés et ils ont commencé à parler et à rire.

— En avez-vous parlé avec l'ouvreuse. Qu'est-ce qu'elle a dit ? demande monsieur Moncharmin.

L'employé sourit.

— Elle a dit que c'était le fantôme.

— Allez immédiatement chercher l'ouvreuse ! ordonne monsieur Richard. Cette histoire de fantôme commence sérieusement à m'énerver !

usher

Quelques minutes plus tard, l'ouvreuse entre dans le bureau de monsieur Richard. Il s'agit de madame Giry, la mère de Meg.

— Vous avez eu raison de m'appeler, messieurs, dit-elle avec un sourire amical. Je peux tout vous expliquer sur le fantôme.

— Le fantôme ne nous intéresse pas ! dit monsieur Richard, visiblement très énervé. Racontez-nous plutôt ce qui s'est passé hier dans la loge numéro 5.

— C'est à cause du fantôme, dit-elle calmement, il était très en colère et il…

Monsieur Moncharmin interrompt l'ouvreuse.

— Avez-vous déjà parlé au fantôme ? demande-t-il en souriant.

— Bien sûr, monsieur ! répond l'ouvreuse.

— Et quand il vous parle, que dit-il ?

— Il me demande de lui apporter un petit éventail.

Les directeurs se mettent à rire.

— Mais alors, le fantôme est une femme ? demande Richard, ironique.

— Non, c'est un homme ! Et il a une belle voix, très douce. Il arrive en général vers le milieu du premier acte. Il me laisse toujours un pourboire sur la petite table de la loge. Il est vraiment très gentil.

Après cet entretien, les directeurs décident de licencier madame Giry, visiblement folle, et d'aller voir cette loge numéro 5 d'un peu plus près…

Compréhension écrite et orale

DELF ❶ Écoutez l'enregistrement du chapitre, puis cochez la bonne réponse.

1 Les spectateurs de la loge numéro 5

   a ☐ jouaient aux cartes.

   b ☐ riaient et parlaient.

   c ☐ chantaient.

2 Le garde municipal a fait évacuer la loge à

   a ☐ douze reprises.

   b ☐ quatre reprises.

   c ☐ deux reprises.

3 Monsieur Richard trouve que cette histoire de fantôme est

   a ☐ drôle.

   b ☐ terrifiante.

   c ☐ énervante.

4 L'ouvreuse est

   a ☐ Meg Giry.

   b ☐ la mère de Meg.

   c ☐ la sœur de Meg.

5 Le fantôme demande qu'on lui apporte

   a ☐ du popcorn.

   b ☐ le programme de l'Opéra.

   c ☐ un éventail.

6 Les directeurs licencient l'ouvreuse, car

   a ☐ ils n'ont plus d'argent à cause des sommes qu'ils versent au fantôme.

   b ☐ ils pensent qu'elle est folle.

   c ☐ elle est trop vieille.

Grammaire

Le discours direct et le discours indirect

Le **discours direct** est la transcription exacte des paroles de quelqu'un. Il est introduit par des **guillemets**. Le **discours indirect** rapporte ce que dit quelqu'un par l'intermédiaire d'un narrateur.

Discours direct

Ils [...] sont ressortis aussitôt en racontant qu'une voix leur avait dit : « [...], cette loge est occupée ».

Discours indirect

Ils [...] sont ressortis aussitôt en racontant qu'une voix leur avait dit que cette loge était occupée.

Lorsque l'on passe du discours direct au discours indirect, la phrase subit des transformations.

- le **temps de la subordonnée** (si le verbe de la principale est au passé)
  - présent/imparfait de l'indicatif → imparfait de l'indicatif
    *Raoul **a dit** à son frère : « Christine **chante** divinement ».*
    → *Raoul **a dit** à son frère que Christine **chantait** divinement.*
  - passé composé → plus-que-parfait
    *Raoul **a dit** à son frère : « Christine **a chanté** divinement ».*
    → *Raoul **a dit** à son frère que Christine **avait chanté** divinement.*
  - futur → conditionnel
    *L'ouvreuse **a dit** à sa fille : « Le fantôme **occupera** toujours sa loge ».*
    → *L'ouvreuse **a dit** à sa fille que le fantôme **occuperait** toujours sa loge.*

- les **pronoms** et les **adjectifs possessifs**
  *Il affirme : « J'ai vu **ta** danseuse préférée. »*
  → *Il affirme qu'**il** a vu **ma** danseuse préférée.*

- les **mots introduisant la subordonnée**
  - phrase déclarative : **que**
    *Il raconte **qu'**il était dans le bureau des directeurs.*
  - interrogation totale : **si**
    *Il te demande **si** tu veux venir.*
  - interrogation partielle : **où, quand, comment, pourquoi...**
    *Il demande **pourquoi** elle n'a rien dit.*

2 Mettez les phrases au discours indirect.

1 L'employé a dit : « Les gens de la loge 5 se sont mal comportés ».

....

2 Ils ont affirmé : « Il y a déjà quelqu'un dans cette loge ».

....

3 Les directeurs ont dit à la mère de Meg : « Vous ne travaillerez plus à l'Opéra ».

....

4 Les journalistes ont demandé : « Qui a trouvé le corps de Joseph Buquet ? »

....

5 Philippe a demandé à son frère : « Tu es sûr que c'est vrai ? »

....

6 L'employé a dit : « J'ai dû appeler un garde municipal ».

....

Enrichissez votre **vocabulaire**

3 Complétez les phrases avec les expressions de temps proposés. Parfois, plusieurs solutions sont possibles.

hier	jamais	le lendemain	longtemps
puis	soudain	souvent	toujours

1 La famille de Chagny réside à Paris depuis ....

2 Les directeurs ont interrogé l'ouvreuse, ... ils l'ont licenciée.

3 Le fantôme laisse .... un pourboire à l'ouvreuse.

4 Les chanteuses d'opéra sont .... capricieuses.

5 Le garde municipal n'avait .... vu une chose pareille.

6 .... de la mort de Joseph Buquet, tous les journaux parlaient du fantôme.

7 J'ignore si la représentation aura lieu car ...., la diva était malade.

8 ...., monsieur Moncharmin a hurlé qu'il voulait parler à l'ouvreuse.

4 Associez chaque mot à l'image correspondante, puis complétez les expressions sur les porte-malheur.

a un chat noir **c** un parapluie **e** une échelle

b un miroir **d** des mouchoirs **f** une table

 1

 2

 3

 4

 5

 6

A Briser ....

B Passer sous ....

C Voir ....

D Être treize à ....

E Ouvrir .... à l'intérieur d'une pièce.

F Offrir ....

Production écrite et orale

DELF 5 Vous êtes Raoul de Chagny et vous écrivez un billet à Christine Daaé dans lequel vous décrivez ce que vous avez ressenti lorsqu'elle chantait.

> Christine,
>
> ce soir vous avez chanté merveilleusement bien. Comment vous décrire mes émotions ?

Une histoire d'amour

Depuis son triomphe, Christine évite de se montrer en public. Ce succès semble la perturber considérablement. Son silence irrite les journalistes. Raoul est désespéré de ne plus voir celle qu'il aime. Il lui écrit une lettre pour lui demander la permission de lui rendre visite. Quelques jours plus tard, il reçoit enfin un message.

> *Je n'ai pas oublié le petit garçon qui a récupéré, il y a bien longtemps, mon écharpe dans la mer. Je pars pour Perros-Guirec où est enterré mon père. Demain, c'est l'anniversaire de sa mort, et comme tous les ans, je vais prier sur sa tombe.*

Raoul décide alors d'aller rejoindre Christine. Il se précipite à la gare Montparnasse et réussit à prendre un train pour

Perros-Guirec. Pendant le trajet, il se rappelle son enfance, ses vacances à Perros-Guirec, et monsieur Daaé, le père de Christine. Monsieur Daaé était un excellent violoniste suédois. Il ne vivait que pour sa musique. C'est lui qui avait appris à chanter à Christine et il l'accompagnait au violon lorsqu'elle allait chanter dans les villages. Un jour, le jeune Raoul les a entendus, il a vu Christine et il est immédiatement tombé amoureux d'elle. Le lendemain, alors que le père et la fille allaient se promener au bord de la mer, Raoul les a suivis. Quand Christine est arrivée près du rivage, le vent s'est soudainement levé et son écharpe est tombée dans la mer. Raoul s'est alors jeté dans l'eau pour la rapporter à Christine. Ce jour-là, les deux enfants sont devenus amis.

Monsieur Daaé aimait bien Raoul. Il racontait souvent des histoires à sa fille et au jeune vicomte. Dans de nombreuses histoires apparaissait un étrange personnage : l'Ange de la musique. Monsieur Daaé leur racontait que les grands artistes et les grands musiciens reçoivent au moins une fois dans leur vie la visite de l'Ange de la musique. Monsieur Daaé ne l'avait malheureusement jamais entendu, mais il avait dit à sa fille : « Toi, tu l'entendras un jour ! Je te l'enverrai quand je serai au ciel, je te le promets ! ».

Monsieur Daaé est mort quelques années plus tard. Depuis ce jour-là, Christine a perdu sa voix magique et merveilleuse. Raoul est maintenant devenu un homme, mais il n'a jamais oublié Christine. Il va souvent la voir à l'Opéra, car il est toujours très amoureux d'elle. Malheureusement, il sait que son amour est impossible : un aristocrate ne peut pas épouser une chanteuse d'opéra.

Il fait déjà nuit lorsque Raoul arrive à Perros-Guirec. Le vicomte se rend au *Soleil-Couchant*, la seule auberge du village. La patronne se souvient très bien de lui, et elle l'accueille chaleureusement. Soudain, une porte s'ouvre. Christine est là, debout, face à Raoul. Elle sourit et le regarde tendrement.

— Je suis contente de vous voir, dit-elle.

— Christine ! Pourquoi avez-vous dit dans votre loge que vous ne me connaissiez pas ? demande Raoul. Pourquoi avez-vous ri lorsque j'ai parlé de votre écharpe ? Savez-vous que je vous aime ?

Christine reste silencieuse.

— Je sais pourquoi ! crie le vicomte. C'est parce qu'il y avait un autre homme dans votre loge ce soir-là. J'ai entendu sa voix !

La diva regarde Raoul d'un air terrifié. Elle semble avoir peur. Puis, elle saisit le bras du vicomte et le serre avec force.

— Mais que dites-vous, monsieur ? s'exclame-t-elle.

— Vous lui avez parlé, Christine ! Vous lui avez dit : « Je ne chante que pour vous, je vous ai donné mon âme ce soir ! »

— Et qu'avez-vous entendu d'autre ?

— Il vous a dit : « Il faut m'aimer ». Puis, il a ajouté : « Les anges ont pleuré ce soir ». Qui est cet homme que vous aimez tant ?

Christine ne répond pas. Des larmes coulent sur son visage. Après quelques instants, elle dit au vicomte :

— Raoul, la voix que vous avez entendue dans ma loge est celle de l'Ange de la musique. Il a commencé à me donner des leçons de chant il y a maintenant trois mois. C'est un excellent professeur.

« C'est vrai que Christine chante merveilleusement bien, elle n'a jamais chanté ainsi auparavant. Mais je ne crois pas à cette histoire d'Ange de la musique » pense Raoul.

CHAPITRE 4

— Christine, vous vous moquez de moi ! dit le vicomte.

Blessée, la diva monte dans sa chambre et ne descend même pas pour le dîner. Vers minuit, Raoul aperçoit Christine qui sort de l'auberge en cachette. Il est difficile de la reconnaître, car elle porte un long manteau et une capuche lui couvre presque entièrement le visage. Elle marche d'un pas rapide et décidé et Raoul la suit discrètement dans l'obscurité de la nuit. Quelques instants plus tard, ils arrivent au cimetière. La cantatrice marche au milieu des tombes couvertes de neige. Elle s'arrête près de la tombe de son père, se met à genoux et commence à prier. Soudain, une musique céleste s'élève dans les airs. Il s'agit de la *Résurrection de Lazare*[1]. Raoul reste immobile. Il écoute, émerveillé.

Le vicomte se retourne pour voir qui est en train de jouer. Tout à coup, il entend un bruit et regarde par terre : des crânes roulent vers lui ! Il lève la tête et aperçoit, dans l'obscurité, une ombre qui porte un long manteau. Il regarde cet étrange personnage… il a une tête de mort et des yeux de feu à la place du visage ! Effrayé, Raoul s'évanouit.

Le lendemain matin, il se réveille devant l'autel de la petite église du cimetière de Perros-Guirec.

---

1. **La Résurrection de Lazare** : musique composée par Franz Schubert en 1829.

Compréhension écrite et orale

DELF 1 Lisez le chapitre, puis cochez la bonne réponse.

1 Christine évite de se montrer en public car
   a ☑ son père est mort.
   b ☐ le fantôme ne veut pas qu'elle voie d'autres hommes que lui.
   c ☐ elle est perturbée par son succès.

2 Raoul se rend à la gare Montparnasse pour
   a ☐ partir en vacances.
   b ☐ accompagner son frère.
   c ☑ rejoindre Christine.

3 Le père de Christine aimait parler d'un
   a ☐ Ange de l'amusement.
   b ☑ Ange de la musique.
   c ☐ Ange gardien.

4 La patronne du *Soleil-Couchant* salue chaleureusement Raoul, car
   a ☑ c'est un bel homme.
   b ☐ elle est contente de le revoir.
   c ☐ elle est très chaleureuse.

5 Raoul est en colère, car
   a ☐ Christine a perdu l'écharpe qu'il avait retrouvée.
   b ☑ Christine a un autre homme dans sa vie.
   c ☐ il s'est perdu dans la campagne.

6 Dans le cimetière, Raoul a très peur, car
   a ☑ il voit un personnage terrifiant.
   b ☐ il ne voit rien dans l'obscurité.
   c ☐ il a peur de glisser à cause de la neige et de se faire mal.

DELF 2 Écoutez l'enregistrement du chapitre, puis répondez aux questions.

1 Pourquoi Raoul va-t-il à la gare Montparnasse ?
2 Qui est monsieur Daaé ?
3 Qu'est-ce que Raoul entend dans le cimetière ?
4 Dans quel édifice Raoul se réveille-t-il ?

3 Écoutez l'enregistrement sur l'histoire de la résurrection de Lazare et complétez le texte.

À Béthanie, dans un village de Judée, un homme du (**1**) ....
de Lazare est malade. Ses deux (**2**) ...., Marie et Marthe font
annoncer la nouvelle à Jésus qui se trouve assez (**3**) .... de là.
Jésus dit alors que Lazare ne mourra pas. Deux jours plus (**4**) ....,
il décide de partir pour Béthanie avec ses disciples. Marthe vient à sa
rencontre et lui annonce la (**5**) .... de Lazare. Jésus la rassure
et se dirige vers la grotte où repose le (**6**) .... de Lazare. Marie,
l'autre sœur, les rejoint. Jésus demande alors d'ôter la pierre qui fermait
l'entrée de la grotte. Lazare était mort depuis (**7**) .... jours. Jésus
lui dit « Lazare, sors ! ». Et à ce moment-là, Lazare sort les pieds et les
mains liés de bandes, et le visage enveloppé d'un linge.

Enrichissez votre **vocabulaire**

4 Écrivez chaque mot au bon endroit.

un bâton	une grotte	une tunique	une pierre	une plante

5 Associez chaque mot à l'image correspondante.

a un manteau   c une auberge   e les genoux
b un cimetière   d un crâne   f une tombe

Grammaire

Les pronoms compléments d'objet direct (COD) et complément d'objet indirect (COI)

Pour éviter les répétitions, on peut utiliser un pronom pour remplacer le complément d'objet direct et le complément d'objet indirect.

Les pronoms COD

	1re **pers**	2e **pers**	3e **pers.**
Singulier	me, m'	te, t'	le, l' (masc.) la, l' (fém.)
Pluriel	nous	vous	les

Les pronoms COD de la 3e personne au singulier donnent également une information sur le genre, masculin ou féminin.

Ce succès semble perturber considérablement <u>Christine</u>.

→ *Ce succès semble **la** perturber considérablement.*

Les pronoms COI

	1re **pers**	2e **pers**	3e **pers.**
Singulier	me, m'	te, t'	lui
Pluriel	nous	vous	leur

Les pronoms compléments d'objet se placent avant le verbe dont ils sont le complément.

Il écrit une lettre <u>à Christine</u>. → *Il **lui** écrit une lettre [...].*

Raoul voudrait voir Christine. → *Raoul voudrait **la** <u>voir</u>.*

Christine ne veut pas parler à Raoul. → *Christine ne veut pas **lui** <u>parler</u>.*

Avec l'auxiliaire **avoir**, il faut accorder le participe passé en genre et en nombre avec le pronom COD.

Le lendemain, [...] Raoul a suivi <u>le père et la fille</u>.

→ *Le lendemain, [...] Raoul **les** a suivis.*

6 **Cherchez tous les pronoms COD et COI dans le chapitre 4.**

7 Récrivez les phrases en remplaçant les mots soulignés par un pronom que vous placerez au bon endroit.

1 Le père de Christine aime raconter l'histoire de l'Ange de la musique.

....

2 La diva n'a pas parlé aux journalistes.

....

3 Monsieur Daaé a toujours adoré sa fille.

....

4 Raoul écrit une lettre pour demander un rendez-vous à Christine.

....

5 Monsieur Daaé n'a jamais entendu l'Ange de la musique.

....

6 Raoul va souvent voir Christine à l'Opéra.

....

7 Raoul voulait voir l'homme qui parlait avec Christine.

....

8 Christine écoute sa déclaration d'amour !

....

9 Si vous voulez en savoir plus, vous devez parler au Persan.

....

10 Vous ne devez pas raconter cette histoire à tout le monde !

....

Production écrite et orale

8 Vous êtes Raoul et vous faites une déclaration d'amour à Christine.

Une salle maudite...

Les nouveaux directeurs, messieurs Richard et Moncharmin, se rendent dans la loge numéro 5. Ils l'examinent et ne trouvent rien d'anormal : c'est une loge ordinaire. Ils sont donc convaincus que cette histoire n'est qu'une plaisanterie. Cependant, quelques jours plus tard, ils trouvent une nouvelle lettre du fantôme sur leur bureau.

Mes chers directeurs,

Voulez-vous la guerre ou la paix ? Si vous voulez la paix :

1 - Rendez-moi ma loge !

2 - Donnez le rôle de Marguerite[1] à Christine Daaé.

3 - Réintégrez mon ouvreuse, madame Giry, dans ses fonctions.

Dans le cas contraire, ce soir, vous donnerez Faust dans une salle maudite !

Le Fantôme de l'Opéra

---

1. **Marguerite** : rôle féminin principal de l'opéra *Faust* de Gounod.

— Il commence sérieusement à m'énerver ce fantôme ! hurle monsieur Richard.

Soudain, le palefrenier en chef entre dans le bureau. Il a l'air bouleversé.

— Quelqu'un a volé un cheval dans les écuries ! dit-il. Je pense que c'est le fantôme...

— Le fantôme ! s'écrie monsieur Richard. Vous pensez qu'un fantôme a besoin d'un cheval ?

— Je ne sais pas, mais j'ai vu une ombre noire sur César, notre cheval blanc... Je suis sûr que c'était le fantôme !

Tandis que les nouveaux directeurs pensent à cette histoire de cheval volé, Carlotta reçoit une lettre écrite à l'encre rouge d'une écriture d'enfant.

> Chère Carlotta,
> Si vous chantez ce soir dans Faust, un drame se produira. Ce sera pire que la mort...

La diva espagnole lit la lettre plusieurs fois. Elle est nerveuse. Si elle ne chante pas ce soir, elle sait que Christine la remplacera. Comme Carlotta est très jalouse de Christine, elle décide d'interpréter son rôle dans *Faust*, comme prévu.

Le soir, à l'Opéra, tout le monde attend le début de la représentation. Les nouveaux directeurs sont confortablement installés dans la loge numéro 5.

Carlotta est encore un peu nerveuse lorsqu'elle commence à chanter. Mais très vite, aidée par les applaudissements du public, elle ne pense plus qu'à son interprétation et oublie la lettre mystérieuse. Tout à coup, au milieu d'un passage difficile à chanter, un son semblable au coassement du crapaud sort de sa gorge.

— Couac !

Sur la scène, la diva espagnole est épouvantée. Elle n'ose plus bouger. Un profond silence envahit la salle. Le public est bouleversé.

Dans la loge numéro 5, les deux directeurs sont livides. Ils se regardent, stupéfaits. Soudain, monsieur Richard se lève et crie :

— Continuez, Carlotta ! Continuez !

La diva reprend sa respiration et essaie de se remettre à chanter. Malheureusement, le même son terrible sort de sa gorge.

— Couac !

Richard et Moncharmin regardent le public : ils ne savent pas quoi faire. Est-ce la malédiction dont a parlé le fantôme ? Tout à coup, ils entendent une voix leur murmurer :

— Ce soir, Carlotta chante à en décrocher le lustre…

Terrorisés, les deux directeurs lèvent la tête et regardent le plafond. L'énorme lustre de l'Opéra s'est décroché : il va tomber sur le public. Quelques secondes plus tard, le lustre s'écrase au milieu de la salle. La foule hurle et s'enfuit dans un immense brouhaha.

Ce terrible accident fait malheureusement une victime : la nouvelle ouvreuse…

Compréhension écrite et orale

DELF 1 Lisez le chapitre, puis dites si les affirmations sont vraies (V) ou fausses (F).

		V	F
1	Le fantôme demande que les directeurs réintègrent Meg.	☐	☐
2	Le costumier pense que le fantôme a commis un vol.	☐	☐
3	Le fantôme réclame plus d'argent aux directeur.	☐	☐
4	Un enfant écrit une lettre à Carlotta.	☐	☐
5	Carlotta reçoit une lettre écrite à l'encre rouge.	☐	☐
6	Christine chante tellement mal qu'elle fait tomber le lustre.	☐	☐

DELF 2 Lisez cet article sur l'Opéra de Paris, puis cochez la bonne réponse.

L'Opéra de Paris

L'Opéra de Paris, ou encore le Palais Garnier, a été inauguré en **1875**. Réalisé par l'architecte **Charles Garnier**, il est situé dans le 9ᵉ arrondissement, le quartier des grands magasins.

La construction de l'Opéra, qui fait partie du plan d'urbanisme du **baron Haussmann**, a nécessité des moyens énormes à cause des travaux de terrassement. On a même créé un lac souterrain pour rendre le sol plus stable. Il est le lieu de rencontre de la cour impériale et de la haute bourgeoisie de l'époque.

Le plafond, décoré par le peintre **Chagall** en 1964, s'inspire d'opéras et de ballets célèbres. De plus, il possède la plus grande scène d'Europe.

La **coupole de la salle** et l'énorme lustre, qui pèse entre **sept et huit tonnes**, sont soutenus par huit colonnes. Il abrite également une très belle bibliothèque contenant de précieux ouvrages.

1 L'Opéra de Paris a été construit
   a ☐ dans le cadre d'un plan d'urbanisme.
   b ☐ en 1865.
   c ☐ au bord de la Loire.

2 On l'appelle également Palais Garnier, car c'est le nom
   a ☐ du mécène qui a permis sa construction.
   b ☐ de famille de Napoléon III.
   c ☐ de l'architecte qui l'a conçu.

3 Le Palais Garnier est situé
   a ☐ au bord d'un lac.
   b ☐ dans un quartier de Paris où il y a des grands magasins.
   c ☐ dans les *Galeries Lafayette*.

4 La construction de l'Opéra a coûté cher à cause
   a ☐ des terrasses du café de l'Opéra.
   b ☐ des travaux de terrassement.
   c ☐ des indemnités réclamées par Chagall.

5 L'Opéra était un lieu
   a ☐ très populaire, un peu comme les stades de football aujourd'hui.
   b ☐ maudit à cause du fantôme.
   c ☐ où la haute société se retrouvait.

6 La scène de l'Opéra de Paris se distingue par
   a ☐ son lustre.
   b ☐ sa taille.
   c ☐ ses colonnes.

7 Les huit colonnes
   a ☐ pèsent chacune une tonne.
   b ☐ soutiennent la coupole qui pèse huit tonnes.
   c ☐ soutiennent le lustre qui pèse huit tonnes.

8 La bibliothèque du Palais Garnier contient
   a ☐ des livres précieux.
   b ☐ des meubles précieux.
   c ☐ des tableaux précieux de Chagall.

Enrichissez votre **vocabulaire**

3 Associez chaque mot à l'image correspondante.

a la coupole

b le foyer

c les colonnes

d le parterre

e l'escalier

f le lustre

1

2

3

4

5

6

Grammaire

Le récit au passé

*Les nouveaux directeurs **se sont rendus** dans la loge numéro 5. Ils l'**ont examinée** et n'**ont** rien **trouvé** d'anormal : c'**était** une loge ordinaire.*

Dans un récit au passé, le **passé composé** et l'**imparfait** alternent.

Le **passé composé** est le temps de l'**action**. Si vous imaginez une pièce de théâtre, le passé composé est le temps utilisé pour tout ce qui se passe sur le devant de la scène. Une succession de verbes conjugués à ce temps-là donne une impression de rapidité.

L'**imparfait** (Il se forme à partir du radical de la première personne du pluriel de l'indicatif présent auquel on ajoute les terminaisons **-ais, -ais, -ait, -ions, -iez, -aient**) est le temps de la **description**. C'est le temps utilisé pour évoquer l'arrière-plan : le décor et la toile de fond, par exemple. Ce temps sert aussi à décrire les personnages et leur caractère.

4 Transformez les phrases pour en faire un récit au passé.

1 Ce soir, tout le monde est impatient d'assister à la représentation.

....

2 L'Espagnole est nerveuse parce qu'elle croit à l'existence du fantôme.

....

3 Carlotta ne comprend pas pourquoi sa voix est horrible.

....

4 Les directeurs sont assis dans la loge 5 et parlent avec leurs invités.

....

5 Le public décide de quitter la salle parce que tout le monde est effrayé.

....

6 Il y a eu une nouvelle victime à l'Opéra.

....

5 Conjuguez les verbes entre parenthèses pour obtenir un récit au passé. Voici quelques indices pour vous aider : le premier paragraphe est une description des sentiments et des pensées de Carlotta. Le second paragraphe est une succession d'actions et le troisième alterne action et description.

Ce jour-là, Carlotta (*être*) .... [1] nerveuse parce qu'elle (*ne pas savoir*) .... [2] si elle allait chanter. Elle (*avoir*) .... [3] peur des menaces du fantôme, mais elle (*ne pas vouloir*) .... [4] donner à Christine une autre occasion de montrer tout son talent. Elle (*hésiter*) .... [5].

Soudain, elle (*décider*) .... [6] de parler avec madame Giry. Elle (*demander*) .... [7] à la maquilleuse d'aller la chercher. Quand l'ancienne ouvreuse (*arriver*) ....[8], Carlotta (*parler*) .... [9] de la lettre du fantôme. La mère de Meg (*conseiller*) .... [10] à la diva d'obéir au fantôme et de se faire remplacer.

Madame Giry (*demander*) .... [11] à l'Espagnole de ne parler de cette lettre à personne. Ensuite, la cantatrice (*aller*) .... [12] dans sa loge pour essayer d'oublier cette histoire.

Avant la représentation, Christine (*organiser*) .... [13] un apéritif. Tous ses amis (*venir*) .... [14], car ils (*espérer*) .... [15] assister à un récital privé. Mais Christine (*avoir*) .... [16] envie de s'amuser et elle (*refuser*) .... [17] de chanter. Quand tous les invités (*partir*) .... [18], elle (*regarder*) .... [19] par la fenêtre : la nuit (*être*) .... [20] tombée et les lumières de la ville (*briller*) .... [21] de mille feux.

Production écrite et orale

DELF 6 Les nouveaux directeurs de l'Opéra font appel à un détective pour élucider le mystère du fantôme de l'Opéra. Vous êtes un(e) employée(e) et le détective vous demande de décrire plusieurs personnes : le Persan, Raoul de Chagny et Christine. Commencez chaque description par « La dernière fois que je l'ai vu(e), ... »

Le bal masqué

Depuis cette soirée tragique, Christine n'a plus interprété de rôle à l'Opéra. Elle est même introuvable. Raoul est désespéré, car il ne sait pas où il peut la chercher. Un soir, très tard, alors qu'il marche dans une rue déserte, il voit une voiture qui se dirige vers lui. Il regarde et aperçoit la silhouette d'une femme à l'intérieur.

— Christine ! crie-t-il.

Le vicomte se précipite vers la voiture. Soudain, il entend une voix d'homme à l'intérieur. Puis, le cocher fait claquer son fouet et le cheval part au galop. Raoul se met à courir derrière la voiture, mais il est trop tard : elle est déjà très loin. Il est maintenant convaincu que Christine aime un autre homme. Désespéré, il rentre chez lui dans le silence glacial de la nuit.

Le lendemain matin, son serviteur lui apporte une lettre qu'un passant a trouvée près de l'Opéra.

CHAPITRE 6

> *Cher Raoul,*
> *Je vous attends après-demain à minuit au bal masqué de l'Opéra, dans le petit salon. Portez un masque et un domino [1] blanc. Ne dites rien à personne. Je compte sur vous.*
> *Christine*

Raoul lit la lettre plusieurs fois. Il reprend espoir. Sa décision est prise : il ira à ce bal masqué. Cependant, il pense toujours à ce mystérieux Ange de la musique. Qui est-il ? Pourquoi Christine est-elle amoureuse de lui ? La retient-il prisonnière ?

Le bal masqué de l'Opéra est un événement important. Toutes les personnalités de Paris sont présentes. Raoul arrive juste avant minuit. Il entre dans la salle et se dirige vers le lieu du rendez-vous. Soudain, un invité masqué et vêtu d'un domino noir s'approche de lui et lui fait un signe de la tête. C'est Christine ! Elle s'écarte rapidement de lui et traverse la foule. Raoul la suit.

Alors qu'il traverse le foyer [2], le vicomte remarque un groupe de personnes réunies autour d'un mystérieux personnage. Celui-ci porte un énorme chapeau à plumes, un masque représentant une tête de mort et un long manteau rouge sur lequel est écrit : « Ne me touchez pas ! Je suis la Mort rouge ! ». Un homme dans la foule essaie de le toucher, mais une main de squelette sort de la manche du manteau, saisit le poignet de cet homme et le serre très fort. Quand il le libère, l'homme s'enfuit en courant, terrorisé. À ce moment-là, Raoul observe le masque de la Mort rouge... c'est la même tête de mort qu'il a vue dans le cimetière de Perros-Guirec !

Christine remarque la réaction du jeune homme. Elle lui attrape le bras et l'entraîne vers les escaliers. Ils montent deux étages et

---

1. **Un domino** : vêtement long, à capuchon, utilisé dans les bals masqués.
2. **Un foyer** : ici, salle où les gens peuvent se rendre pendant les entractes.

entrent dans une loge. La diva colle son oreille au mur et écoute attentivement.

— C'est bon, dit-elle à voix basse. Il ne sait pas où nous sommes.

La porte de la loge est ouverte. Raoul regarde dans le couloir par-dessus l'épaule de Christine. Il aperçoit alors un homme vêtu d'un long manteau : c'est la Mort rouge !

— C'est lui ! s'exclame Raoul. Cette fois, il ne m'échappera pas !

Il retire son masque et veut se précipiter dans le couloir, mais Christine l'empêche de sortir.

— Lui, qui ? demande-t-elle.

— La Mort rouge bien sûr ! répond le vicomte. Votre ami, madame, votre Ange de la musique ! Je vais aller le voir et lui arracher son masque. Je veux voir son visage !

— Non ! hurle Christine, terrorisée. Au nom de notre amour, restez ici !

— Notre amour ? Mais vous plaisantez, Christine ! Ce n'est pas moi que vous aimez, c'est lui ! Allez le rejoindre ! Vous vous êtes bien moquée de moi. Je vous déteste !

Christine le regarde avec tristesse.

— Un jour, vous comprendrez, dit-elle calmement. Adieu, Raoul ! Surtout, ne me suivez pas.

Christine sort de la loge et s'en va. Raoul, très triste, la regarde s'éloigner. Quelques minutes plus tard, il descend dans le foyer et demande à tous les invités s'ils ont vu la Mort rouge. Il cherche partout ce mystérieux personnage, sans succès. Plus tard dans la nuit, il décide d'aller dans la loge de Christine. Il frappe à la porte : personne ne répond. Il entre, la loge est déserte. Soudain, il entend un bruit dans le couloir. Il se cache alors derrière un long rideau.

La porte s'ouvre et Christine entre. Elle retire son masque, puis ses gants. Raoul remarque que la diva porte une alliance.

CHAPITRE 6

« Qui lui a donné cette alliance[3] ? » pense-t-il, très troublé.

Christine s'assoit à sa table et prend sa tête entre ses mains. Elle a l'air triste.

— Pauvre Érik ! dit-elle. Pauvre Érik !

Derrière le rideau, Raoul sursaute. « Qui est Érik ? » pense-t-il. « Et pourquoi Christine est-elle triste pour lui ? ».

Puis, Christine commence à écrire. Tout à coup, elle s'arrête : on dirait qu'elle écoute quelque chose. Raoul se met lui aussi à écouter : il entend un chant lointain qui semble venir des murs. Peu à peu, le chant devient mélodieux, et il distingue maintenant une belle voix d'homme, douce et captivante. Celle-ci semble à présent venir de la pièce où ils se trouvent. Raoul regarde, mais Christine est seule dans la loge.

La cantatrice se lève et sourit.

— Érik, dit elle doucement. Vous êtes en retard.

La voix chante maintenant *La nuit de noces*[4], un passage de l'opéra *Roméo et Juliette*. Raoul n'a jamais entendu un chant aussi beau, aussi pur et aussi mélodieux. Cette voix est magnifique, envoûtante, et Raoul comprend maintenant pourquoi Christine a fait autant de progrès.

La diva se dirige vers le fond de la loge où se trouve un immense miroir. Raoul écarte légèrement le rideau pour observer la scène. Il tente de saisir le bras de la diva, mais il est repoussé en arrière, et il sent un vent glacé sur son visage. Il voit maintenant deux, puis quatre, puis huit images de Christine voler autour de lui. Il essaie de les toucher, mais elles disparaissent. Il se retrouve tout seul dans la loge, face au miroir.

---

3. **Une alliance** : un anneau de mariage.
4. **La nuit de noces** : chanson tirée de l'opéra *Roméo et Juliette*, composé par Charles Gounod d'après l'œuvre de Shakespeare.

Compréhension écrite et orale

DELF 1 **Lisez le chapitre, puis cochez la bonne réponse.**

1 Raoul voit
   a ☐ une voiture dans laquelle il lui semble reconnaître Christine.
   b ☐ le fantôme du père de Christine.
   c ☐ le Persan à cheval.

2 Christine écrit au vicomte pour lui
   a ☐ demander pardon.
   b ☐ dire qu'elle l'aime.
   c ☐ donner un rendez-vous.

3 Pour le bal masqué, Raoul s'habille
   a ☐ comme un domino : en noir et blanc.
   b ☐ comme Christine le lui a demandé.
   c ☐ comme d'habitude.

4 Lorsque Raoul arrive au bal,
   a ☐ il aperçoit immédiatement le fantôme.
   b ☐ Christine lui fait signe.
   c ☐ il essaie de toucher la Mort rouge.

5 La Mort rouge porte
   a ☐ un domino rouge.
   b ☐ un costume noir.
   c ☐ un manteau.

6 Raoul reconnaît le masque de la Mort rouge :
   a ☐ c'est la même tête de mort qu'il a vue au cimetière.
   b ☐ c'est celui de Joseph Buquet.
   c ☐ c'est celui que Christine a perdu quand elle était petite.

7 Raoul cherche la Mort rouge parce qu'il veut
   a ☐ lui parler.
   b ☐ lui enlever son masque.
   c ☐ regarder s'il a une alliance au doigt.

8 Le chant mélodieux que Raoul entend est celui
   a ☐ de Carlotta.
   b ☐ de la Sorelli.
   c ☐ d'un homme.

2 Lisez le texte sur le compositeur Charles Gounod, puis dites si les affirmations sont vraies (V) ou fausses (F). Corrigez ensuite celles qui sont fausses.

Le compositeur **Charles Gounod** naît en 1818 à Paris.

Dès son enfance, il montre un grand talent pour la musique. Il s'inscrit donc au conservatoire de Paris. En 1839, il remporte le **premier prix de Rome**, qui lui permet de s'installer à la villa Médicis où il rencontrera le peintre **Jean Auguste Dominique Ingres**, directeur de l'Académie de France.

Durant son séjour dans la « Ville éternelle », Gounod s'intéresse énormément à la musique religieuse. Il lira également *Faust* de Goethe. Quatre ans plus tard, il rentre à Paris et traverse une crise mystique : il suit des cours de théologie pour entrer dans les ordres. Entre octobre 1847 et février 1848, il porte d'ailleurs l'habit ecclésiastique et signe ses lettres « L'Abbé Gounod ».

Cependant, il sait « qu'il n'y a qu'une route à suivre pour se faire un nom : c'est le théâtre ». En 1851, il écrit alors *Sapho*, son premier opéra. En 1859 est joué pour la première fois *Faust*, dont il a conçu le projet à Rome. Dans cet opéra en cinq actes, le compositeur privilégie le rôle de Marguerite, dont il décrit les émotions profondes. « Quand je compose, dit Gounod, je me pénètre du sentiment, des paroles, du caractère du personnage, et je laisse parler mon cœur ».

Charles Gounod meurt en 1893, après avoir écrit de nombreuses musiques religieuses (*Te Deum*, 1841), des mélodies (*La Jeune fille et la Fauvette*, 1860) et une douzaine d'opéras (*La reine de Saba*, 1862, *Mireille*, 1864, *Roméo et Juliette*, 1867...)

		V	F
1	Charles Gounod a vécu au XIXᵉ siècle.	☐	☐

....

2 Grâce au prix de Rome, il entre au Conservatoire de Paris. ☐ ☐

....

3 Le directeur de l'Académie de France est Jean Auguste Dominique Ingres. ☐ ☐

....

4 Il a lu *Faust* de Goethe en Allemagne. ☐ ☐

....

5 De retour à Paris, il a une crise mystique. ☐ ☐

....

6 Entre 1847 et 1848, il signe ses lettres « Frère Charles ». ☐ ☐

....

7 Dans son adaptation théâtrale de *Faust*, il n'y a pas de personnages mis en avant. ☐ ☐

....

8 En 1893, Gounod reprend une œuvre de William Shakespeare. ☐ ☐

....

3 **Écrivez le nom de chaque métier au bon endroit, puis associez chaque personnage à celui qui lui correspond.**

| un compositeur | un écrivain | un peintre |

a Charles Gounod   **b** Jean Auguste Dominique Ingres   **c** Goethe

1 ☐   **2** ☐   **3** ☐

....

Grammaire

Les adverbes de manière en -ment

Ils décrivent l'action du verbe, mais ils peuvent également modifier un adjectif ou un autre adverbe.

Christine l'aime-t-elle **vraiment** *?*

Ils se placent après le verbe qu'ils modifient, et après l'auxiliaire aux temps composés.

La diva colle son oreille au mur et <u>écoute</u> **attentivement**

Les directeurs n'<u>ont</u> pas **immédiatement** <u>compris</u> *le problème.*

Ils sont invariables et se forment généralement en ajoutant **-ment** au féminin de l'adjectif, ou à son masculin si ce dernier se termine par une voyelle.

*sûr → sûre → sûre**ment***   *vrai → vrai**ment***

Si l'adjectif masculin se termine par **-ant** ou **-ent**, on remplacera respectivement ces deux terminaisons par **-amment** et **-emment** et ils se prononcent [amã].

*récent → réc**emment***   *savant → sav**amment***

4 Formez l'adverbe de manière à partir de l'adjectif.

1	vrai	....	5	méchant	....
2	rapide	....	6	sérieux	....
3	doux	....	7	naïf	....
4	récent	....	8	prudent	....

5 Retrouvez l'adjectif masculin à partir de l'adverbe de manière.

1	courageusement	....	7	parfaitement	....
2	fréquemment	....	8	durement	....
3	délicatement	....	9	sévèrement	....
4	constamment	....	10	joyeusement	....
5	heureusement	....	11	timidement	....
6	violemment	....	12	personnellement	....

Enrichissez votre **vocabulaire**

6 Associez chaque image sur le thème du bal costumé au mot correspondant.

a le maquillage	**d** un masque	**g** une épée
b un casque	**e** une barbe	**h** une ombrelle
c un chapeau	**f** une cape	**i** une perruque

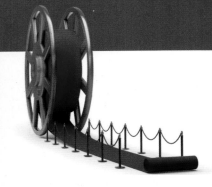

Le Fantôme de l'Opéra au cinéma

En 1925, **Rupert Julian** réalise la première adaptation cinématographique du *Fantôme de l'Opéra* et son succès dépassera très largement celui du roman de Gaston Leroux. À l'époque, le cinéma est encore muet, mais **Lon Chaney**, l'acteur qui interprète Érik, a un talent incroyable : il arrive à donner à son visage un aspect terrifiant, et cela sans autre trucage que le maquillage.

La musique du film *Phantom of the Paradise* a été nominée pour des prix aussi prestigieux que les Oscars ou les Golden Globes.

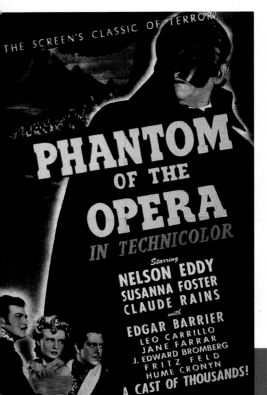

Le visage du fantôme a marqué l'esprit des spectateurs et a contribué de manière considérable au succès du film.

C'est le début d'une longue liste d'œuvres inspirées du roman de Gaston Leroux. Il y aura des films, des pièces de théâtres, des comédies musicales et même une bande dessinée.

En 2004 est réalisé un film par Joel Schumacher qui reprend fidèlement tous les éléments d'une comédie musicale ayant fait ses débuts au théâtre à Londres en 1986. Cette dernière a connu un succès tellement colossal qu'elle est, aujourd'hui encore, toujours à l'affiche au *Her Majesty's Theatre*, à Londres.

Les cinéphiles estiment toutefois que le film le plus réussi est *Phantom of the Paradise* (1974) de Brian De Palma. Là encore, il s'agit d'une comédie musicale, mais l'action se passe dans les années 70 aux États-Unis.

1 **Associez chaque légende à l'image qui convient.**

    a *Le Fantôme de l'Opéra*, Rupert Julian, 1925.

    b *Le Fantôme de l'Opéra*, Joel Schumacher, 2004.

    c *Phantom of the Paradise*, Brian De Palma, 1974.

Ange ou démon ?

Le lendemain, Raoul retrouve Christine à l'Opéra. Elle est contente de le voir. Le vicomte lui annonce qu'il va quitter la France dans un mois, car il fait partie de la prestigieuse, mais dangereuse expédition organisée pour retrouver les restes d'un bateau perdu dans les glaces du pôle Nord. Christine semble maintenant inquiète.

— Dans un mois, nous devrons nous dire adieu, dit-elle tristement, car nous ne nous reverrons peut-être plus jamais.

— Christine, nous pouvons nous marier et nous attendre pour toujours.

— Je ne pourrai jamais me marier avec vous, Raoul ! dit-elle, les yeux remplis de larmes.

Elle réfléchit quelques instants, puis elle lui dit joyeusement :

— J'ai une idée ! Fiançons-nous secrètement pendant un mois ! Personne ne le saura. Nous aurons ainsi un beau souvenir à partager, pour toujours !

Raoul sourit : il est heureux. Il trouve l'idée de Christine excellente. Il accepte donc sa proposition.

Les jours suivants, les deux fiancés se voient à l'Opéra. Ils passent leurs journées à discuter et à se promener dans toutes les pièces. Un jour, alors qu'ils marchent sur la scène, Raoul aperçoit une trappe ouverte.

— Vous m'avez montré des endroits magnifiques, dit-il, mais nous n'avons pas visité les sous-sols de l'Opéra. Nous pourrions y aller ?

Christine a l'air terrorisée.

— C'est impossible, dit-elle à voix basse. Tout ce qui est sous terre lui appartient...

— Érik habite dans les souterrains, n'est-ce pas ?

— Qui vous a dit son nom ? demande-t-elle, effrayée.

— Vous-même, Christine ! Le soir du bal masqué, j'étais caché dans votre loge, derrière le rideau.

— Oubliez ce nom et oubliez cette voix, Raoul ! Vous voulez être tué ?

Christine l'entraîne loin de la trappe. Alors qu'ils s'éloignent, Raoul entend un bruit. Il se retourne et s'aperçoit que la trappe s'est refermée.

— C'est lui ? demande-t-il.

Christine ne répond pas et continue de marcher. Raoul lui saisit le bras.

— Écoutez-moi, je sais qu'il vous fait peur. Je peux vous aider, Christine, si vous me racontez toute l'histoire !

Christine regarde le vicomte, les yeux remplis d'espoir.

— Vous pensez que c'est possible ? demande-t-elle à voix basse.

— Oui, je vous emmènerai loin d'ici. Il ne vous retrouvera jamais. Laissez-moi vous aider !

La diva entraîne Raoul sur le toit de l'Opéra.

— Ici, nous sommes en sécurité, dit-elle. Je vais tout vous raconter, car il faut que vous me compreniez.

Elle fait une pause, puis ajoute :

— Tout a commencé avec la voix. Vous savez que j'ai perdu ma belle voix lorsque mon père est mort : je ne pouvais donc plus devenir une célèbre chanteuse d'opéra. Mais une nuit, j'ai entendu une voix merveilleuse à travers les murs. J'ai pensé que c'était l'Ange de la musique que m'envoyait mon père. Je le lui ai demandé, et il m'a répondu que oui. Nous sommes alors devenus amis, et il a commencé à m'apprendre le chant. C'est un excellent professeur. Grâce à lui, ma voix s'est considérablement améliorée. Mais un soir, alors que je chantais sur scène, je vous ai vu dans le public. J'ai tout de suite compris que j'étais amoureuse de vous, Raoul. J'ai alors parlé de vous à l'Ange de la musique, mais il s'est mis en colère... il était jaloux. Il m'a demandé de choisir entre lui et vous. C'est pour cette raison que j'ai fait comme si je ne vous connaissais pas le soir de mon triomphe. J'avais peur de perdre l'Ange de la musique, vous comprenez ?

— Oui, je comprends, dit Raoul. Mais dites-moi ce qui s'est passé ensuite.

Christine regarde rapidement autour d'elle. On dirait qu'elle a peur que quelqu'un les ait suivis. Elle se retourne ensuite vers Raoul.

— Vous vous souvenez de la nuit tragique lorsque le lustre s'est écrasé sur le public ? J'étais effrayée. Je suis allée dans ma loge et quelque chose d'étrange s'est passé. J'ai marché vers le miroir quand, soudain, il a disparu. Je me suis alors retrouvée dans une pièce très sombre. Je ne savais pas où j'étais. Puis, un personnage masqué est arrivé dans l'obscurité. J'avais très peur, mais je ne pouvais pas crier. Il m'a soulevée et m'a mise sur son cheval : j'ai reconnu César, le cheval blanc qui avait disparu des écuries de l'Opéra. Nous sommes descendus dans les souterrains, il faisait très sombre. Nous sommes arrivés près d'un lac : un petit bateau nous attendait sur la berge. Il m'a fait monter à bord, et il m'a conduite au milieu du lac, dans la demeure du lac. Là, il m'a installée sur un divan en me disant de ne pas avoir peur. Il s'est mis à genoux, en face de moi. Il m'a parlé lentement et calmement, mais sa voix était étrange à cause de son masque. « Christine, je vous ai menti », m'a-t-il dit. « Je ne suis ni l'Ange de la musique, ni un génie, ni même un fantôme. Je suis seulement Érik, et je vous aime. Restez avec moi, Christine ! Restez avec moi pendant cinq jours ! Après, je vous laisserai partir, vous avez ma parole. Mais vous devez me promettre une chose : n'essayez jamais de voir mon visage ! ».

Christine s'arrête de parler un instant pour reprendre son souffle.

— J'ai été stupide, Raoul, car à ce moment-là, j'ai retiré son masque d'un geste rapide. Il a poussé un cri en essayant de tourner la tête, mais j'ai vu… j'ai vu son horrible visage ! C'était terrible, Raoul ! Il a une tête de mort à la place du visage, avec des yeux rouges comme le feu ! Ensuite, il a attrapé mes mains, m'a regardée et m'a dit en hurlant : « Regarde-moi, Christine ! Regarde le visage d'Érik. Tu connaissais ma voix, à présent, tu connais mon visage ! Je suis horrible, affreusement horrible ! Maintenant que tu as vu mon visage, tu es à moi. Je ne te laisserai plus jamais partir ! »

— Que s'est-il passé ensuite ? demande Raoul, visiblement très inquiet.

— J'avais peur, continue Christine, mais en même temps, j'avais de la peine pour lui. Il m'aimait tellement, et il était si triste. Cependant, je voulais retrouver ma liberté. Je ne pouvais pas sacrifier ma vie et ma carrière pour lui ! Vous vous rendez compte de ce qu'il me demandait ? J'ai donc décidé de lui faire croire qu'il ne m'effrayait plus. Cela a été difficile, Raoul, mais j'ai réussi. Je lui ai promis de revenir. Il m'a crue et m'a laissée partir.

— Mais vous êtes retournée le voir, dit le vicomte. Pourquoi ?

— J'étais très triste pour lui, dit-elle simplement.

Soudain, Raoul et Christine entendent un bruit. Il fait nuit maintenant. Les deux fiancés se retournent et aperçoivent une ombre noire aux yeux rouges comme le feu. Terrifiés, ils se sauvent en courant.

Compréhension écrite et orale

DELF ① Écoutez l'enregistrement du chapitre. Complétez les phrases à l'aide des mots proposés, dites si les affirmations sont vraies (V) ou fausses (F), puis corrigez celles qui sont fausses.

| accepte épouser compagnie expédition près |
| masque sous-sols toit vérité épouvante |

		V	F
1	Le vicomte annonce qu'il partira bientôt en Afrique avec une	☐	☐
	....		
2	Christine accepte d' .... Raoul avant son départ.	☐	☐
	....		
3	Raoul connaît bien les .... de l'Opéra.	☐	☐
	....		
4	Ils se rendent tous les deux sur le .... de l'Opéra.	☐	☐
	....		
5	Christine .... de raconter toute l'histoire à Raoul.	☐	☐
	....		
6	La maison d'Érik se trouve .... d'un lac.	☐	☐
	....		
7	Érik n'a pas toujours dit la .... à Christine.	☐	☐
	....		
8	Érik demande à Christine de passer cinq jours en sa	☐	☐
	....		
9	Le visage d'Érik .... Christine et elle le lui dit.	☐	☐
	....		
10	Christine n'a plus vu Érik après qu'elle lui a enlevé le	☐	☐
	....		

DELF ❷ Vous organisez une sortie avec vos trois amis étrangers en visite à Paris. Après avoir étudié le *Pariscope*, vous choisissez trois spectacles susceptibles de les intéresser. Lisez tous les documents, puis répondez aux questions en justifiant votre réponse avec une phrase du texte.

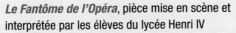

Les spectacles

Phantom of the Paradise, film de Brian De Palma (1974)

Un film aux airs de comédie musicale un peu folle dans lequel le fantôme est particulièrement effrayant. À éviter si vous avez peur de faire des cauchemars ! La bande originale du film plaira aux amateurs de rock des années 70. Interdit au moins de 12 ans.

Tarif : 9 €, 21 h 45
Cinéma La Pagode, 57, rue de Babylone, Paris 7ᵉ

Le Fantôme de l'Opéra, pièce mise en scène et interprétée par les élèves du lycée Henri IV

Des comédiens débutants, mais qui ne manquent pas d'idées... L'œuvre de Gaston Leroux a été revisitée et mise au goût du jour. Le fantôme n'est pas bien méchant, il est juste très amoureux. Des scènes très colorées agrémentées de musiques d'aujourd'hui : les jeunes adoreront !

Entrée : 11 €, 20 h 00
Théâtre Mogador, 25 rue du Mogador, Paris 9ᵉ

Faust, Charles Gounod, opéra

Des costumes d'époque remarquables, une mise en scène sans (mauvaise) surprise qui ne décevra pas les amateurs de grands classiques. Des tarifs exceptionnellement bas afin de faire connaître ce chef-d'œuvre aux plus jeunes. Une occasion en or pour découvrir cette merveille architecturale qu'est le Palais Garnier.

Billets à partir de 65 €, 20 h 00
Palais Garnier, 10, rue Halévy, Paris 9ᵉ

Les amis

1 Paolo est italien et aime beaucoup la musique. D'ailleurs, tous les matins, il passe au moins deux heures à jouer du piano ou de la guitare électrique. Son rêve serait de devenir comédien, mais il est trop timide pour tenter sa chance.

2 Steffi est une jeune Allemande très sensible, passionnée d'architecture. Elle aime beaucoup les histoires d'amour qui finissent bien et ne supporte pas la violence qu'on trouve souvent dans les films d'action. Elle est à Paris depuis peu et la famille qui l'héberge lui demande de rentrer avant 23 heures.

3 Gary est un Londonien qui aime beaucoup la mode. Il n'aime que ce qui est moderne. Il a dépensé presque tout son argent sur les Champs-Élysées. Il n'aime pas beaucoup la culture, car il a refusé de visiter le Louvre. Mais c'est peut-être parce qu'il n'avait plus d'argent qu'il n'est pas allé voir la *Joconde*...

1 Quel spectacle convient aux trois amis ?

....

2 L'une des propositions risque-t-elle de ne pas plaire à Paolo ?

....

3 Quelle est la meilleure proposition à faire à Gary ?

....

4 Steffi serait-elle d'accord d'aller voir le film *Phantom of the Paradise* ?

....

5 Gary pourrait-il avoir envie d'aller voir le film ?

....

6 Paolo pourrait-il adorer la pièce de théâtre ?

....

7 Steffi pourrait-elle accepter d'aller à l'Opéra ?

....

8 Gary serait-il heureux d'aller au théâtre ?

....

3 **Cherchez l'intrus parmi les adjectifs qui définissent chaque personnage et justifiez votre réponse.**

1 Paolo est réservé, mélomane et comédien.

....

2 Steffi est romantique, peureuse et insensible.

....

3 Gary est dépensier, prévoyant et moderne.

....

4 Steffi est italienne, passionnée d'architecture et non-violente.

....

Enrichissez votre **vocabulaire**

4 **Associez chaque adjectif au sentiment correspondant.**

1	☐ la peur		**a**	angoissé
2	☐ la joie		**b**	consterné
3	☐ l'inquiétude		**c**	effrayé
4	☐ la colère		**d**	heureux
5	☐ la tristesse		**e**	mécontent
6	☐ l'amour		**f**	romantique

79

Production écrite et orale

DELF ⑤ **Vous écrivez un mail à Steffi pour l'inviter au théâtre et vous lui parler de la pièce.**

```
⊝ ⊝ ⊝                              ▭
```

Salut Steffi !

Ça se passe bien avec ta famille d'accueil ? Je t'écris pour te parler de la sortie que je voulais organiser avec Paolo et Gary.

....

....

....

....

....

....

....

....

⑥ **Steffi accepte l'invitation. Rédigez sa réponse.**

```
⊝ ⊝ ⊝                              ▭
```

Ciao !

Je te remercie, c'est vraiment sympa de ta part. En plus, le spectacle que tu proposes

....

....

....

....

....

....

Merci encore !

Bises.

Le mystérieux Persan

Christine et Raoul se réfugient dans l'Opéra. Ils descendent les escaliers jusqu'au huitième étage. Les couloirs sont déserts : il n'y a pas de représentation ce soir. Soudain, un homme les empêche de passer. Il porte un chapeau qui lui cache une partie du visage.

— Prenez ce couloir ! dit cet homme. Allez, vite !

Christine entraîne Raoul dans la direction indiquée par l'étrange personnage.

— Qui est-ce ? demande Raoul.

— C'est le Persan, répond Christine. Vous ne le connaissez pas ? Il est toujours à l'Opéra.

Quelques instants plus tard, ils arrivent dans la loge de Christine.

CHAPITRE 8

— Nous sommes en sécurité ici. Érik m'a promis de ne plus jamais venir ici pour écouter mes conversations.

— Partons maintenant ! propose Raoul.

— Non, répond-elle, je ne peux pas partir aujourd'hui. J'ai promis à Érik de chanter pour lui demain soir. Nous pourrons partir après la représentation, Raoul.

Soudain, la diva regarde sa main avec épouvante.

— Que se passe-t-il ? demande le vicomte, inquiet.

— L'alliance, Raoul, l'alliance en or ! Je ne l'ai plus ! hurle Christine. Érik me l'a donnée en témoignage de son amour. Il m'a rendu ma liberté à condition que je porte cette alliance à mon doigt. Nous sommes en danger !

Raoul essaie de la rassurer, mais Christine est terrorisée. Elle est sûre qu'Érik sera très en colère. Un peu plus tard, grâce à l'assurance et à l'amour de Raoul, la diva se calme et ils décident de partir le lendemain, après la représentation.

Raoul rentre chez lui. En pleine nuit, il se réveille et il aperçoit deux yeux rouges comme le feu qui le fixent. Il prend son arme et tire dans l'obscurité. Il court sur le balcon et découvre du sang.

— Je l'ai touché, dit-il fièrement.

Entre-temps, Philippe, le frère de Raoul, s'est précipité dans la chambre. Il le regarde bizarrement et lui dit :

— Tu as probablement touché un chat.

Le lendemain, Raoul passe toute la journée à préparer son départ. Il réserve une voiture et retire tout son argent de la banque.

Ce soir, Christine chante *Faust*. L'Opéra est plein : tout le monde est venu écouter la voix sublime de la diva. Au début de la représentation, Christine est nerveuse : sa voix tremble. Mais

peu à peu, elle reprend confiance en elle. Au cinquième acte, elle chante comme elle n'a jamais chanté auparavant. Le public est en adoration.

Soudain, toutes les lumières de l'Opéra s'éteignent. Quelques secondes plus tard, elles se rallument, mais Christine n'est plus sur la scène ! Où est-elle ? Que s'est-il passé ? Il règne dans la salle une très grande confusion. Les spectateurs, paniqués, se lèvent et quittent leurs fauteuils. Tout le monde ne parle plus que de cette mystérieuse disparition.

Raoul se précipite dans les coulisses, où une foule d'admirateurs attend des nouvelles de la cantatrice. Raoul est sûr d'une chose : Érik a enlevé Christine.

Il suit alors un groupe d'hommes qui se dirige vers le bureau des directeurs. Il est sur le point d'entrer dans le bureau lorsqu'il sent une main sur son épaule et une voix qui lui murmure :

— Ne racontez le secret d'Érik à personne !

Raoul se retourne : c'est le Persan ! Ce dernier met son index sur ses lèvres pour lui faire comprendre qu'il ne doit pas parler, puis il s'en va en silence.

Dans le bureau se trouvent le commissaire de police et les deux directeurs. Le commissaire regarde avec méfiance le vicomte et lui pose quelques questions. Il s'aperçoit que Raoul aime Christine.

— Vous deviez partir avec mademoiselle Daaé après la représentation, n'est-ce pas ? demande le commissaire.

— Oui, c'est exact, répond le vicomte.

— La voiture qui attend à l'extérieur de l'Opéra est bien la vôtre ?

— En effet, c'est la mienne.

— Savez-vous que la voiture de votre frère se trouvait à côté de la vôtre ce soir ?

Raoul ne comprend pas pourquoi le commissaire lui pose cette question et commence à perdre patience.

— Christine a disparu et vous feriez mieux de partir à sa recherche !

— Très bien, mais avant laissez-moi vous poser une dernière question : votre frère approuve-t-il la relation que vous avez avec mademoiselle Daaé ?

— Pourquoi me demandez-vous cela ? demande Raoul, étonné.

Le commissaire sourit.

— Mais pour une raison très simple, monsieur de Chagny. La voiture de votre frère est partie, elle n'est plus à l'extérieur de l'Opéra. C'est votre frère qui a enlevé mademoiselle Daaé !

— Que dites-vous ? Mon frère ?! s'écrie Raoul. Il n'y a pas de temps à perdre ! Il faut que je les rattrape !

Raoul sort du bureau en courant. Le commissaire se tourne vers les directeurs.

— Voilà comment travaille la police, dit-il en souriant. Je ne sais pas si le comte a réellement enlevé Christine Daaé, mais je suis sûr que son frère nous aidera à la retrouver !

Compréhension écrite et orale

10 **1** Écoutez l'enregistrement du chapitre, puis associez chaque personnage à la phrase qu'il a dite.

1 [c] « Prenez ce couloir ! Allez, vite ! »   a Christine
2 [d] « Voilà comment travaille la police. »   b Raoul
3 [a] « Ici, nous sommes en sécurité. »   c Le Persan
4 [b] « Il faut que je les rattrape. »   d Le commissaire
5 [e] « Tu as probablement touché un chat. »   e Philippe

DELF **2** Lisez le chapitre, puis dites si les affirmations suivantes sont vraies (V) ou fausses (F).

		V	F
1	Christine et Raoul descendent les escaliers jusqu'au cinquième étage.		X
2	L'étrange personnage que rencontrent Christine et Raoul est surnommé le Pirate.		X
3	Érik a promis à Christine de toujours venir écouter ses conversations dans sa loge.		X
4	Christine ne veut pas partir tout de suite avec Raoul parce qu'elle a promis à Érik de chanter pour lui le lendemain.	X	
5	Lorsque Raoul voit des yeux rouges dans sa chambre, il prend son arme et tire.	X	
6	Philippe pense que son frère a tué un chat.	X	
7	Le titre de l'opéra que chante Christine est *Carmen*.		X
8	À la fin de la représentation, Christine et les autres acteurs font une révérence et salue leur public.		X
9	Dans le bureau des directeurs, Raoul est interrogé par le commissaire de police.	X	
10	Raoul apprend que Christine a été enlevée par le Persan.		X

Grammaire

Les connecteurs logiques

On appelle **connecteurs logiques** les mots et expressions qui servent à construire l'argumentation ou à établir un lien entre deux énoncés.

1er paragraphe : *tout d'abord, d'abord, au début, premièrement*

2e/ 3e/4e paragraphe : *ensuite, de plus, en outre, en plus, par ailleurs, peu à peu, puis*

Dernier paragraphe : *enfin, finalement*

Conclusion : *ainsi, donc, pour conclure...*

Attention ! Si vous n'avez que deux parties distinctes dans votre argumentation, vous pouvez utiliser **d'une part/d'autre part**.

Exemple d'argumentation :

***Tout d'abord**, je vais au théâtre pour m'enrichir au niveau culturel.*
***Ensuite**, le théâtre est un lieu où je peux rencontrer du monde.*

***Enfin**, une pièce de théâtre est un moment de détente.*

***Ainsi**, si j'avais plus d'argent, j'irais davantage au théâtre pour découvrir de nouvelles cultures, enrichir mes relations sociales et surtout m'évader.*

3 **Complétez les phrases avec les connecteurs logiques qui conviennent.**

1 a ...., je pense que le théâtre est un moyen pour découvrir la culture.

   b .... le théâtre est une forme d'évasion pour les comédiens et les spectateurs.

   c ...., le théâtre permet de nous enrichir culturellement et de nous détendre.

2 a ...., il faut utiliser des biocarburants.

   b ...., nous devons faire le tri sélectif.

   c ...., en faisant de petits gestes quotidiens, nous éviterons de consommer trop d'énergie.

   d ...., nous contribuerons au futur de notre planète.

4 Complétez les phrases avec les connecteurs logiques qui conviennent.

1   ...., je vais prendre une entrée, ... de la viande et un dessert.

2   Suite au discours de son père, il a .... décidé de faire son voyage en Angleterre l'année prochaine.

3   Il a .... obtenu sa licence en Langues. ...., il a fait son Master en Commerce International.

4   ...., je vais vous parler des causes de cette guerre. ...., je vais insister sur les conséquences de ce conflit.

5   Il a .... choisi son université ! Ce n'est pas trop tôt !

6   .... mon exposé, je pense que nous devrions tous faire du sport pour être en forme.

7   Je vais .... vous parler des inconvénients de ce produit, ... de tous ses avantages. ...., je vous proposerai une démonstration gratuite.

8   Je ne vais pas pouvoir partir en Espagne, car mon dossier a été refusé. ...., mes parents n'ont pas les moyens de payer tous les frais.

Enrichissez votre **vocabulaire**

5 Cherchez dans le chapitre le mot correspondant à chaque définition.

1   .... : vide, sans personne.

2   Une .... : cantatrice célèbre.

3   .... : état dans lequel se trouve une personne après une peur violente et soudaine.

4   Un .... : preuve, démonstration.

5   Le .... : jour d'après.

6   .... : synonyme de « curieusement », « étrangement ».

7   .... : synonyme de « vraisemblablement ».

8   .... : synonyme de « kidnappé ».

6 Écrivez le nom de chaque bijou. Remises dans l'ordre, les cases rouges vous donneront le nom du bijou mystère !

Des ☐☐☐☐☐☐☐
☐,☐☐☐☐☐☐☐☐

1

2

Une ☐☐☐☐☐

Un ☐☐☐☐☐☐☐☐

3

5

Une ☐☐☐☐☐☐

4

Un ☐☐☐☐☐☐☐☐☐

Une ☐☐☐☐☐☐

6

Le bijou mystère est une ....

Production écrite et orale

DELF **7** Vous avez pris des billets pour aller voir la représentation de *Faust* où chante Christine, mais vous arrivez en retard. Le spectacle a déjà commencé depuis 20 minutes. Complétez ce dialogue où vous essayez de convaincre le personnel du théâtre de vous laisser entrer.

Vous : Bonjour, je .... !

Le caissier du théâtre : Oui, mais je .... vous laisser entrer.

Vous : S'il vous plaît !

Le caissier du théâtre : Non, le spectacle a commencé ....

Vous : Mais, j'ai eu un problème : ....

....

Le caissier du théâtre : Écoutez, je vais appeler mon .... parce que seulement lui peut prendre la décision de vous laisser entrer.

Vous : .... beaucoup !

DELF **8** Vous faites partie du groupe de théâtre de votre école. Vous écrivez un mail à votre meilleur ami pour lui raconter ce que vous faites pendant cette activité et ce qu'elle vous apporte au quotidien.

Salut Thomas,

J'ai une super nouvelle ! Notre école a ouvert un cours de théâtre. Je fais du théâtre tous les mercredis. On fait beaucoup d'activités.

....

....

....

....

À la recherche de Christine

Dans le couloir, Raoul est arrêté par une grande ombre. C'est encore le Persan !

— Où allez-vous ? demande-t-il.

— Je dois retrouver Christine ! répond le vicomte.

— Alors, restez là, dit calmement le Persan, car Christine est ici, à l'Opéra.

— Avec Érik, n'est-ce pas ? demande le jeune homme.

— Oui, c'est exact. Seul Érik a pu imaginer un <u>enlèvement</u> semblable. Je pense que Christine se trouve à présent dans la <u>demeure</u> du lac. Érik est très dangereux, il faut faire vite !

— Vous semblez connaître tous les secrets d'Érik. Il vous a fait souffrir, n'est-ce pas ? demande Raoul.

— Oui, mais je lui ai pardonné maintenant, répond <u>doucement</u> le Persan.

— Vous parlez de lui exactement comme Christine ! s'exclame

91

CHAPITRE 9

le vicomte. Vous pensez que c'est un monstre, mais vous avez vous aussi de la peine pour lui. Je ne vous comprends pas !

— Calmez-vous maintenant ! ordonne le Persan. Érik peut être partout : il pourrait nous entendre ! Venez avec moi !

Le jeune homme suit le Persan dans les couloirs. Ils montent et descendent de nombreux escaliers, et arrivent finalement dans la loge de Christine. Le Persan s'approche de l'immense miroir accroché au mur et l'observe attentivement.

— Ce miroir cache en réalité un passage secret qui va nous conduire à la demeure du lac, dit-il. Il faut pour cela trouver le mécanisme qui actionne l'ouverture.

Soudain, il s'écrie :

— Ça y est ! J'ai trouvé le bouton du dispositif !

Quelques secondes plus tard, le miroir pivote. Raoul se rappelle alors le soir où Christine a disparu de sa loge.

— Dépêchez-vous, suivez-moi ! dit le Persan. Et faites ce que je vous dirai de faire !

Ils entrent et se retrouvent dans un couloir très étroit et très sombre. Soudain, ils voient une lumière qui vient vers eux. On dirait une tête de feu.

— C'est lui ? demande Raoul.

— Je ne sais pas, répond le Persan. C'est la première fois que je vois ça.

Raoul et le Persan reculent légèrement et se mettent à genoux pour ne pas être vus par la tête de feu. Un bruit indescriptible s'approche d'eux très rapidement. Ils restent là, immobiles. Tout à coup, ils sentent passer entre leurs jambes de petits animaux poilus… des rats ! Des dizaines et des dizaines de rats ! Les deux hommes sont terrorisés !

— Ne bougez pas ! crie la voix de la tête de feu. Je suis le tueur

de rats. Restez où vous êtes ! Laissez-moi passer avec mes rats !

Le tueur de rats tient une lanterne devant son visage pour ne pas effrayer les animaux. C'est pour cette raison qu'il semble avoir une tête de feu. Il passe devant Raoul et le Persan et s'enfonce dans l'obscurité.

— C'est la tête de feu qu'avait vue Pampin, le chef des pompiers, dit le Persan. Il disait donc la vérité !

Les deux hommes poursuivent ensuite leur chemin dans le souterrain. Ils marchent pendant très longtemps. Inquiet, Raoul demande si le lac est encore loin.

— Le lac ? s'exclame le Persan. Impossible, il est trop protégé ! Nous devons passer par le troisième sous-sol. Il existe à cet étage un passage pour entrer directement dans la demeure du lac. Il se situe entre le décor d'une ferme et une forêt en trompe-l'œil, à l'endroit précis où Joseph Buquet est mort.

— Le chef machiniste ? demande Raoul.

— Oui. Il avait trouvé le passage, et c'est pour ça qu'Érik l'a tué. Personne ne doit s'approcher de sa maison !

Quelques minutes plus tard, les deux hommes arrivent dans le troisième sous-sol, près des décors. Le Persan passe ses mains sur les murs : il cherche un dispositif pour trouver l'entrée du passage secret.

— Ça y est ! dit-il. Le voilà !

Le mur pivote alors comme le miroir dans la loge de Christine. Raoul et le Persan entrent et le mur se referme aussitôt. Ils regardent autour d'eux : ils sont dans une petite salle hexagonale où règne un silence inquiétant. Raoul s'approche des murs et les touche.

— Ce sont des miroirs ! s'exclame-t-il, étonné.

— Oui, ce sont des miroirs, murmure le Persan, effrayé. Nous sommes dans la chambre des supplices...

Compréhension écrite et orale

DELF ❶ **Lisez le chapitre, puis cochez la bonne réponse.**

1 Que pense le Persan de l'enlèvement de Christine ?

   a ☐ Il a l'impression que Christine est déjà très loin de l'Opéra.

   b ☐ Il ne pense pas que Christine soit à Paris.

   c ☑ Il est sûr que Christine est dans les environs de l'Opéra.

2 Quels sentiments contradictoires éprouvent Christine et le Persan vis-à-vis d'Érik ?

   a ☐ De l'amour et de la haine.

   b ☐ De la haine et de la compassion.

   c ☑ De la sympathie et de la méchanceté.

3 Que révèle le Persan à Raoul ?

   a ☐ L'existence d'un labyrinthe derrière le miroir de la loge de Christine.

   b ☐ L'existence d'un monde fantastique dans l'armoire de Christine.

   c ☑ L'existence d'un passage secret derrière le miroir de la loge de Christine.

4 Pourquoi les deux hommes sont-ils morts de peur ?

   a ☐ Parce qu'ils voient beaucoup d'araignées.

   b ☐ Parce qu'un serpent les poursuit.

   c ☑ Parce que des rats courent entre leurs jambes.

5 Quelle est la mission de la « tête de feu » ?

   a ☐ Effrayer les enfants et ensuite les tuer.

   b ☑ Ne pas effrayer les animaux et ensuite les tuer.

   c ☐ Illuminer ce passage très sombre.

6 À quoi sert la pièce recouverte de miroirs ?

   a ☐ À maquiller les acteurs.

   b ☑ À faire subir des supplices.

   c ☐ À découvrir un monde virtuel.

11 **2** Écoutez l'enregistrement du chapitre, puis complétez les affirmations.

1 Christine est ici, à l'......................... .
2 Vous semblez connaître tous les secrets d'......................... .
3 Vous pensez que c'est un ...., mais vous avez, vous aussi, de la .... pour lui.
4 Le Persan s'approche de l'immense .... accroché au mur et l'observe attentivement.
5 Raoul se rappelle le soir où Christine a disparu de sa ....
6 Raoul et le Persan reculent ....
7 Le chef machiniste avait trouvé le ....
8 Personne ne doit s'approcher de sa .... !

Enrichissez votre **vocabulaire**

3 Associez chaque adjectif à son contraire.

1 ☐ craintif   a avare
2 ☐ sociable   b téméraire
3 ☐ anxieux   c enthousiaste
4 ☐ généreux   d introverti
5 ☐ déçu   e vieux
6 ☐ jeune   f détendu
7 ☐ silencieux   g attentif
8 ☐ distrait   h bavard

4 Complétez les phrases avec le mot qui convient.

1 *comte/compte/conte*
   a ☐ Il a fait le .... des dépenses.
   b ☐ Elle a lu une histoire à sa fille : c'était un .... de fées.
   c ☐ Raoul n'est pas un ...., mais un vicomte.
2 *magasin/magazine*
   a ☐ Luc a acheté des journaux et un .... sportif.
   b ☐ Yasmine adore faire un tour au .... de chaussures.

3 *dont/donc*

a ☐ Il n'a pas eu son permis de conduire : il va .... le repasser en mai.

b ☐ Le spectacle .... vous nous avez parlé a lieu à l'Opéra de Paris.

4 *foie/fois/Foix/foi*

a ☐ Il était une .... un marchand de .... qui vendait du .... dans la ville de ....

b ☐ Une ...., il s'est dit : « Ma .... , ce n'est pas la première ...., mais la dernière .... que je vends du .... dans la ville de .... ».

⎰12⎱ ⑤ **Écoutez l'extrait de l'opéra *Roméo et Juliette* de Charles Gounod et complétez les phrases à l'aide des mots proposés.**

1	rivages	rivales	rêveuses
2	fin	faim	fine
3	palaces	palais	appartements
4	nombre	son	nom
5	Sort	Mort	Dehors
6	heures	mois	jours

Vérone vit jadis deux familles (**1**) ....

Les Montaigu, les Capulet,

De leurs guerres sans (**2**) ...., à toutes deux fatales,

Ensanglanter le seuil de ses (**3**) ....

Comme un rayon vermeil brille en un ciel d'orage,

Juliette parut, et Roméo l'aima !

Et tout deux, oubliant le (**4**) .... qui les outrage,

Un même amour les enflamma !

(**5**) .... funeste ! Aveugles colères !

Ces malheureux amants payèrent de leurs (**6**) ....

La fin des haines séculaires

Qui virent naître leurs amours !

Grammaire

Les pronoms relatifs simples

Ils permettent d'éviter des répétitions dans un discours.

- **Qui** : remplace un sujet.

  *Ils voient une lumière **qui** vient vers eux.*

  (= Ils voient une lumière et **la lumière** vient vers eux)

- **Que** : remplace un complément d'objet direct (COD).

  *Tu te souviens de la tête de feu **que** Pampin avait vue ?*

  (= Tu te souviens de la tête de feu et Pampin avait vu **cette tête de feu**)

- **Où** : peut remplacer soit un complément de lieu (CL), soit un complément de temps (CT).

  *Il se situe à l'endroit précis **où** Joseph Buquet est mort.* (CL)

  (= Il se situe à un endroit précis et Joseph Buquet est mort **à cet endroit précis**)

  *Raoul se rappelle le soir **où** Christine a disparu de sa loge.* (CT)

  (= Raoul se rappelle un soir, Christine a disparu de sa loge **ce soir-là**)

Attention ! Seul, le pronom relatif **que** peut s'apostropher devant une voyelle ou un **h** muet.

*Ils vont au théâtre **qu'**elle adore.*

6 Complétez les phrases avec *qui*, *que* ou bien *où*.

1 Il a pris le train .... arrivait à dix-sept heures cinquante.

2 L'appartement .... tu habites se trouve au quatrième étage.

3 Les cahiers .... tu as achetés sont dans ta chambre.

4 Le stade .... vous jouez est loin du centre.

5 Le jour .... ils ont fait leur spectacle, il pleuvait des cordes.

6 Les voisins .... ont changé de voiture sont très riches.

7 Les filles .... plaisent à Paul sont grandes et brunes.

8 La journaliste .... parle a un accent américain.

7 Reliez les deux phrases en utilisant *qui, que* ou bien *où*.

1 Dans le couloir, Raoul est arrêté par une grande ombre. Cette grande ombre est le Persan.

....

2 Le Persan dit à Raoul de rester à l'Opéra. Christine doit se trouver à l'Opéra.

....

3 Le miroir cache un passage secret. Ce passage secret amène à la demeure du lac.

....

4 Ils entrent dans un couloir très sombre. Ils voient une lumière qui vient vers eux dans ce couloir.

....

5 Ils voient des rats. Le tueur chasse ces rats.

....

6 À la fin, ils sont dans la chambre des supplices. Dans la chambre des supplices, des miroirs sont accrochés aux murs.

....

Production écrite et orale

DELF 8 Vous êtes en voyage en France, mais l'un de vos amis, Stéphane, a disparu. Vous vous rendez au commissariat le plus proche pour signaler cette disparition. Vous faites la description physique de votre ami, vous parlez des vêtements qu'il portait et du lieu où il se trouvait la dernière fois que vous l'avez vu.

DELF 9 Vous avez visité un château dans lequel vous avez découvert un passage secret. Expliquez comment vous l'avez découvert, où il amène et ce que vous avez ressenti à ce moment-là.

Les fantômes
existent-ils vraiment ?

La peur des fantômes ne date pas d'hier, elle est très commune et dérange même les personnes les plus sceptiques.

Un peu partout dans le monde, certains croient qu'il existe une porte entre la vie et la mort et que celle-ci reste quelquefois entrouverte. Il suffit d'un bruit de pas, de portes qui claquent, de murmures et l'on pense de suite aux fantômes. Cela vient certainement de notre imagination... Dans de nombreuses civilisations, on dit que lorsqu'on croit très fort à quelque chose, cela finit par se matérialiser.

Au cours de l'histoire, les contacts avec les morts ont toujours été présents, parfois sous forme de rêve, parfois sous forme d'apparition. Dans la plupart des cas, il s'agit de contacts entre personnes qui ont partagé des moments de leur vie, le plus souvent un lien de parenté les unit. Généralement, le défunt souhaite communiquer un message important au vivant : il veut lui dire adieu ou bien encore le prévenir qu'il est en danger.

Voici une histoire trouvée sur Internet qui illustre bien ce qui précède.

Une jeune fille qui venait de perdre sa grand-mère refusait de se rendre aux funérailles malgré l'insistance de sa famille. Elle était restée chez elle, couchée sur le divan, les yeux fermés. C'est alors qu'elle a entendu du bruit, des pieds qui frappaient le sol... Elle a ouvert les yeux et... sa grand-mère était là, devant elle ! Elle portait ses vêtements habituels et tapait du pied pour faire comprendre à sa petite-fille qu'elle l'attendait. La jeune fille s'est alors habillée et s'est immédiatement rendue à l'enterrement.

Les jardins du Luxembourg.

Le fantôme des Tuileries

Nous allons maintenant nous intéresser à l'inquiétant fantôme des Tuileries, le célèbre jardin situé près du Louvre. Mais avant cela, un peu d'histoire...

Le nom des Tuileries vient des fabriques de tuiles installées à cet emplacement au XIIIe siècle. En 1564, la reine Catherine de Médicis décide d'y faire construire un palais. Dès la Révolution française, le palais des Tuileries devient un lieu important, puis le palais impérial et royal. En 1792, il est assiégé par les fédérés [1] et les ouvriers des faubourgs [2]. En mai 1871, lors de la « semaine sanglante », les insurgés de la Commune [3] mettent le feu aux Tuileries. Jusqu'en 1882, les Tuileries ne ressemblent qu'à des ruines brûlées. Le gouvernement républicain décide alors de raser complètement ce qui reste du palais. C'est aussi l'occasion de supprimer l'un des symboles de la monarchie.

1. **Un fédéré** : volontaire venant de toutes les provinces.
2. **Un faubourg** : quartier d'une ville situé en dehors de son enceinte.
3. **La Commune de Paris (1871)** : insurrection qui dure environ deux mois.

Catherine de Médicis (1519-1589), Caterina Maria Romola di Lorenzo de Medici, naît et grandit en Italie avant d'épouser Henri II. Elle devient ainsi Dauphine et duchesse de Bretagne de 1536 à 1547, puis reine de France de 1547 à 1559.

La légende raconte que la reine faisait souvent appel à un homme, surnommé l'Écorcheur, pour régler ses comptes avec ses ennemis. Un jour, elle a décidé qu'il en savait trop et qu'il était préférable de se débarrasser de lui. Juste avant de mourir la tête coupée, l'Écorcheur a prononcé cette menace : « Je reviendrai »... et il n'a pas manqué à sa parole.

Catherine de Medicis.

Le soir même, le chevalier de Neuville, l'homme qui avait assassiné l'Écorcheur, a l'impression d'être suivi par un homme couvert de sang, l'homme rouge. Il découvre ensuite que le corps de l'Écorcheur a disparu. Neuville raconte son aventure à Catherine de Médicis qui ne le croit pas. Le lendemain, cependant, l'astrologue de la reine lui confie avoir vu un fantôme en rêve. Ce dernier lui prédisait la mort de la reine et les catastrophes qui allaient s'abattre sur les maîtres du château et le château lui-même.

En 1793, le fantôme est apparu à Marie-Antoinette, qui était prisonnière aux Tuileries. En 1871, lorsqu'est incendié le palais des Tuileries, des témoins de l'époque affirment avoir vu le fantôme aux fenêtres d'une des salles. Ce sera la dernière apparition du petit homme rouge, mais sachez qu'on lui attribue de nombreuses autres apparitions !

Compréhension écrite

DELF ① **Dites si les affirmations sont vraies (V) ou fausses (F), et justifiez votre réponse avec une phrase du texte.**

	V	**F**

1 Les Tuileries sont un jardin où on fabrique des tuiles.

....

2 Catherine de Médicis décide la construction du palais des Tuileries au XVe siècle.

....

3 La Commune a lieu en 1882.

....

4 La « semaine sanglante » doit son nom à l'homme rouge, surnommé l'Écorcheur.

....

5 Le palais des Tuileries est incendié en 1871 par les communistes.

....

6 Catherine de Médicis est morte en 1792.

....

7 Catherine de Médicis était italienne.

....

8 L'astrologue de la reine a rencontré le fantôme.

....

9 Aujourd'hui, on peut visiter le palais des Tuileries.

....

10 Le fantôme des Tuileries est apparu à plus de quatre reprises.

....

Érik et le Persan

Le Persan connaît Érik mieux que personne. Il commence alors à raconter à Raoul l'histoire de ce mystérieux personnage.

— Érik n'est pas seulement un monstre qui effraie les gens à cause de son aspect, dit le Persan. C'est aussi un homme très intelligent et très sensible, qui souffre énormément. Et puis, il possède une voix magnifique. Érik était en effet un excellent chanteur, ainsi qu'un très bon architecte. Il y a très longtemps, j'étais policier dans mon pays, la Perse[1]. Là-bas, Érik travaillait pour le sultan. Il lui construisait des palais avec de nombreux passages secrets et des salles de torture. Un jour, le sultan a décidé de le tuer pour qu'il ne travaille pour personne d'autre. Érik me faisait beaucoup de peine avec son horrible visage. Alors, je lui ai sauvé la vie. Ensuite, il est allé à Paris où il a travaillé à la

1. **La Perse** : l'Iran actuel.

construction de l'Opéra. Il a alors conçu de nombreux passages secrets ainsi que sa propre maison située sous l'édifice. J'ai longtemps surveillé l'Opéra, car je savais qu'Érik était dangereux. J'étais très inquiet lorsqu'il a commencé à s'intéresser à Christine. Quand elle a disparu, je savais qu'il la gardait dans sa maison secrète. Un jour, je l'ai attendu près du lac. « Vous gardez Christine Daaé prisonnière dans votre maison » lui ai-je dit. « Libérez-la, Érik ! »

« Prisonnière ? » a répété Érik en riant. « Non, elle n'est pas prisonnière. Elle peut aller et venir comme elle veut. Elle m'aime, vous comprenez ? Elle m'aime ! »

Je ne l'ai pas cru. Il m'a alors répondu :

« Je vais vous montrer. Attendez ici, mon ami, et vous verrez Christine partir, puis revenir, car elle m'aime. »

J'ai accepté d'attendre pour voir ce qui allait se passer. Christine a quitté la maison pour retourner dans sa loge. Deux heures après, elle revenait dans la maison d'Érik. J'étais très étonné : Érik m'avait dit la vérité...

Soudain, Raoul et le Persan entendent du bruit de l'autre côté du mur. C'est la voix d'Érik.

— Il faut choisir ! dit-il. La messe de mariage ou la messe des morts.

Les deux hommes entendent ensuite le cri d'une femme : c'est Christine !

— Tu as peur de moi, Christine, dit Érik calmement. Tu penses que je suis dangereux, mais je ne le suis pas. J'ai seulement besoin d'amour, Christine ! Aime-moi, et je serai bon avec toi. Je te le promets !

La jeune femme ne répond pas. Tout à coup, on entend le bruit d'une sonnerie.

— Qui ose venir chez moi ? dit Érik d'un ton menaçant.

Comme il ne reçoit pas de réponse, il se dirige vers la porte. Avant de quitter la pièce, il se retourne vers la diva et lui dit :

— Je ne serai pas long…

Le vicomte attend quelques instants, puis il appelle la jeune femme.

— Christine ! Christine !

— Raoul ! s'exclame-t-elle. C'est vraiment vous ? Où êtes-vous ?

— Je suis dans la pièce d'à côté avec le Persan. Est-ce que vous voyez une porte ?

— Oui, mais je ne peux pas bouger, car je suis attachée, répond la diva. Fuyez, Raoul ! Érik veut m'épouser, et je dois lui donner ma réponse avant onze heures. Si je refuse de devenir sa femme, il tuera tout le monde ! Il est fou, Raoul ! Fou d'amour !

Le Persan et Raoul sont désespérés : Christine ne peut pas les aider à sortir de la chambre des supplices et ils ne peuvent donc pas la sauver. Ils cherchent partout le moyen d'ouvrir la porte. Soudain, le Persan aperçoit sur le sol un petit clou noir. Il le tire et c'est avec surprise qu'il découvre qu'il vient d'actionner un mécanisme : une trappe s'ouvre sur un escalier très sombre…

Compréhension écrite et orale

1 Écoutez l'enregistrement du chapitre, puis corrigez les affirmations qui sont fausses.

1 Le Persan connaît très peu Érik.

Le persan connaît Erik
....

2 Érik chante faux, mais il est très doué en architecture.

Erik était en effet un excellent chant-
eur
....

3 L'émir pour lequel travaillait Érik en Perse a voulu le tuer pour éviter que ce dernier ne révèle les secrets de construction.

le sultan a décidé de le tuer pour qu'il
ne travaille pour personne d'autre

4 Le Persan a aidé à Érik à s'enfuir en Angleterre.

....

5 Érik a participé à la construction de l'abbaye de Westminster.

....

6 Érik a créé de nombreux passages secrets, dont un conduisant directement à la Tour Eiffel.

....

DELF 2 Lisez le chapitre, puis répondez aux questions.

1 Qui a travaillé pour un sultan ?

2 Que trouve-t-on à l'intérieur des palais construits par cette personne ?

3 Pour quelle raison le sultan veut-il tuer Érik ?

4 Pourquoi le Persan surveille-t-il Érik depuis son arrivée à Paris ?

5 Au moment où Christine a disparu, qu'a pensé le Persan ?

6 Où le Persan attend-il Érik un jour ?

7 Christine peut sortir et entrer librement de la maison d'Érik : qu'en déduit le Persan ?

8 Pourquoi le Persan est-il surpris ?

Enrichissez votre **vocabulaire**

14 **3** Écoutez l'enregistrement et associez chaque instrument à l'image correspondante.

4 Complétez maintenant les phrases avec le nom de l'instrument de musique correspondant.

1 Paganini jouait du v _ _ _ _ _ .

2 Les Français jouent de la f _ _ _ _ au collège.

3 La mère de Charles Gounod jouait du p _ _ _ _ .

4 Écoute ce jazzman, il joue de la t _ _ _ _ _ _ _ _ .

5 Samir a le sens du rythme, il joue de la b _ _ _ _ _ _ _ .

6 Adélaïde adore jouer de la h _ _ _ _ .

Grammaire

L'expression de la cause

Il existe différents mots pour exprimer la cause.

- **Parce que** : c'est le terme le plus utilisé. On le trouve en milieu de phrase, **jamais en début à l'écrit**. Il peut être remplacé par la conjonction de coordination **car**.

  Pourquoi Christine ne peut pas bouger ?

  *[...] je ne peux pas bouger **car/parce que** je suis attachée.*

- **Puisque** : introduit une relation de cause à effet logique.

  *Érik effraie les gens **puisque** son aspect est monstrueux.*

  Attention ! On ne dira jamais : *Érik effraie les gens **puisque** son aspect est magnifique.*

- **Étant donné que** + explication.

  ***Étant donné que** Christine circule librement, elle n'est pas prisonnière.*

- **Grâce à** + nom : introduit une cause positive.

  ***Grâce** à l'aide du Persan, Érik a pu fuir le sultan.*

- **À cause de** + nom : introduit une cause négative.

  ***À cause de** la laideur de son visage, Érik se cache.*

Si dans une même phrase, vous avez deux subordonnées de cause, n'oubliez pas que la deuxième est introduite par le pronom **que**.

Erik effraie les gens puisqu'il ressemble à un monstre et que son visage est horrible.

5 Complétez les phrases avec un mot qui introduit la cause.

(1) .... le Persan a connu Érik en Perse, il connaît des détails de sa vie que personne ne connaît. Le Persan a aidé Érik à fuir de son pays (2) .... le sultan voulait le tuer (3) .... secrets de construction du palais. (4) .... l'aide du Persan, Érik a pu partir et il est venu en France. Il se cache dans l'Opéra de Paris (5) .... il l'a construit et (6) .... il en connaît les moindres recoins. Il ne veut pas se montrer (7) .... il a peur du regard des gens.

6 Expliquez pourquoi chaque affirmation est fausse comme dans l'exemple.

Érik chante faux comme une casserole.
Cette phrase est incorrecte parce qu'Érik a une très belle voix.

1 Le Persan était architecte en Perse.

....

2 Érik a vécu quelques années avec le Persan en Inde.

....

3 Érik a travaillé pour un vizir dans ce pays.

....

4 Le sultan voulait divulguer tous les secrets de construction de son palais.

....

5 Le Persan a aidé Érik à partir en Angleterre.

....

6 Érik a participé à la construction de la tour Eiffel.

....

7 Le Persan était heureux quand Érik s'est intéressé à Christine.

....

8 Cinq minutes après être sortie, Christine est revenue dans la maison du lac.

....

Production écrite et orale

DELF 7 Votre correspondant français écoute tous les jours de la musique, mais vous trouvez que le volume est trop fort. Complétez le dialogue pour essayer de le convaincre de changer ses habitudes.

Vous : Salut Marc, j'ai un problème.

Marc : Oui, lequel ?

Vous : ....

Marc : Ce n'est pas vrai !

Vous : Si ! Je ne supporte plus ta musique tous les soirs.

Marc : D'accord ! Si tu veux, je peux ....

Vous : D'accord ! Moi, je suis à la maison tous les soirs après 20 h 00, donc tu ....

Marc : Ça marche !

DELF 8 Sur le blog de Camille, une jeune Belge, vous réagissez à cette affirmation : « La musique est comme un antistress pour moi ». Êtes-vous d'accord avec elle ? Donnez votre opinion.

BLOG DE CAMILLE

Salut tout le monde,

J'adore la musique parce que quand je suis stressée, ça me permet de me détendre. Je ne pense plus à mes problèmes. Vous en pensez quoi ?

....
....
....
....
....
....
....
....

La sauterelle ou le scorpion ?

Les deux hommes descendent. Le Persan éclaire le fond de la  **pièce avec sa lanterne. Il y a des dizaines de tonneaux rangés soigneusement.**

— J'espère qu'il n'y a que du vin dans ces tonneaux... dit à voix basse le Persan.

Il ouvre l'un des tonneaux et découvre... de la poudre !

— Je comprends tout maintenant ! crie-t-il. Si Christine n'épouse pas Érik, il va faire exploser l'Opéra. Nous devons la prévenir !

Raoul et le Persan remontent dans la chambre des supplices.

— Christine ! Christine ! crie Raoul.

— Je suis toujours là, répond la diva. Érik est venu il y a quelques minutes. Il a dit que la personne qui était arrivée est morte. Je pense que c'est lui qui l'a tuée, Raoul ! J'ai peur !

La sauterelle ou le scorpion ?

— Écoutez-moi, dit le vicomte. La cave est pleine de poudre. Érik veut faire exploser l'Opéra si vous ne vous mariez pas avec lui !

Tout à coup, ils entendent des pas, puis Érik entre dans la pièce où se trouve Christine.

— Avec qui parles-tu, Christine ? demande-t-il avant de se diriger vers le mur de la chambre des supplices. Ah, je comprends ! Votre amant, le vicomte de Chagny, est dans la pièce d'à côté, n'est-ce pas ?

— Laissez partir Raoul ! hurle Christine.

— C'est à toi de choisir, Christine ! dit Érik. Il y a deux boîtes sur la cheminée. Toutes deux contiennent une petite sculpture en bronze : l'une représente un scorpion, l'autre une sauterelle. Si tu retournes la sauterelle, cela signifie que tu refuses de m'épouser et que tout explosera. Si tu retournes le scorpion, tu acceptes de devenir ma femme. Choisis le bon insecte, Christine ! Je te laisse cinq minutes pour décider.

Érik sort de la pièce.

— Quel plan diabolique ! s'exclame le Persan. Si elle choisit la sauterelle, tout explosera, et il y a assez de poudre pour faire sauter tout le quartier de l'Opéra !

— Je ne sais pas quoi faire ! hurle Christine, désespérée.

Cinq minutes plus tard, Érik entre dans la pièce et s'approche de Christine.

— Alors, dit-il, tu as choisi ? La sauterelle ou le scorpion ?

Christine hésite, puis retourne la sculpture du scorpion. Raoul et le Persan sont inquiets. Que va-t-il se passer ? Tout à coup, ils entendent un bruit sourd dans le fond de la cave.

— De l'eau ! s'écrie le Persan. Il remplit la cave avec de l'eau !

L'eau recouvre maintenant complètement les tonneaux qui contiennent la poudre. Malheureusement, elle continue de monter

rapidement dans l'escalier, puis dans la chambre des supplices. L'eau arrive à présent aux épaules des deux hommes. Ils hurlent dans l'eau noire, prisonniers contre le plafond de la chambre des supplices.

— Érik ! Érik ! Aide-nous ! crie le Persan. Je t'ai sauvé la vie en Perse. Si je n'avais pas été là, tu serais mort maintenant !

Personne ne répond. Quelques secondes plus tard, les deux hommes perdent connaissance.

Quelques semaines plus tard...

Le Persan se repose dans son appartement de la rue de Rivoli. Il est en train de lire les journaux. Il découvre que Philippe, le frère de Raoul, est mort. On a en effet retrouvé son corps près du lac de l'Opéra. Il comprend alors que Philippe était le mystérieux visiteur de la nuit où il était prisonnier dans la chambre des supplices... Il lit également que Christine Daaé et Raoul ont disparu.

Tout à coup, son domestique lui annonce la visite d'un homme mystérieux. Quelques instants plus tard, Érik entre dans le salon du Persan.

— Assassin ! s'écrie le Persan. Pourquoi as-tu tué le comte Philippe de Chagny ? Et qu'as-tu fait de Raoul et de Christine ?

Érik s'assoit en face du Persan. Il a l'air malade et fatigué.

— Je vais mourir, dit-il. Je viens te voir pour la dernière fois. Je veux te raconter tout ce qui s'est passé.

Il reprend son souffle, puis il regarde tristement le Persan.

— Je n'ai pas tué le frère de Raoul. Il était déjà mort lorsque je suis arrivé au lac. Il est tombé dans l'eau et il s'est noyé. Mais moi, c'est d'amour que je vais mourir ! Je l'aime tellement...

Il s'arrête de parler un instant, puis il ajoute :

— Ce soir-là, je l'ai embrassée et elle a dit d'une voix douce : « Mon pauvre Érik ». Je me suis mis à pleurer, car je n'avais jamais embrassé personne. Pas même ma mère, qui m'avait offert mon premier masque pour ne plus voir mon horrible visage. Je vous ai alors sauvés de l'eau, toi et Raoul, puis je vous ai ramenés dans vos appartements. À mon retour dans la demeure du lac, j'ai retrouvé Christine.

— Où sont-ils maintenant ? demande le Persan.

— Ils sont très loin, répond Érik. J'ai libéré Christine de sa promesse et vos amis sont à présent libres et heureux. Je lui ai donné une alliance et je lui ai dit : « Prends-la, elle est pour toi et Raoul. Je sais que vous vous aimez ».

Érik baisse la tête et se met à pleurer.

— Je vais bientôt mourir, poursuit-il, mais ce baiser m'a donné tout le bonheur du monde.

Après avoir prononcé ces mots, Érik se lève et s'en va. Le Persan se sent triste, lui aussi. Des larmes coulent sur son visage.

Trois semaines plus tard, les lecteurs du journal *L'époque* lisaient dans la rubrique nécrologique ce bref et mystérieux message : « Érik est mort ».

Compréhension écrite et orale

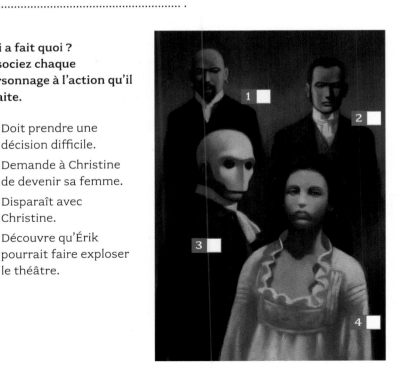

1 Écoutez l'enregistrement du chapitre et complétez les phrases.

1 .... est attachée et elle ne peut pas bouger.

2 Érik demande à Christine de choisir entre deux ....

3 Si Christine retourne le scorpion, elle accepte d'... .

4 Par contre, si elle retourne la sauterelle, l'Opéra ....

5 Le mystérieux visiteur de la nuit tragique était ....

6 Après avoir embrassé Christine, Érik ....

2 Qui a fait quoi ?
Associez chaque personnage à l'action qu'il a faite.

a Doit prendre une décision difficile.

b Demande à Christine de devenir sa femme.

c Disparaît avec Christine.

d Découvre qu'Érik pourrait faire exploser le théâtre.

Enrichissez votre **vocabulaire**

3 Ces mots sont utilisés dans les deux derniers chapitres. Indiquez le mot correspondant à chaque image.

1
a ☐ une sauterelle
b ☐ une chevalière

2
a ☐ un clou
b ☐ une vis

3
a ☐ de la poudre
b ☐ de la viande

4
a ☐ un grenier
b ☐ une cave

5
a ☐ un chemin
b ☐ une cheminée

6
a ☐ un pot
b ☐ une boîte

7
a ☐ le plafond
b ☐ le sol

8
a ☐ un cafard
b ☐ un scorpion

9
a ☐ une baraque
b ☐ un tonneau

4 Complétez les phrases avec les mots proposés.

> bâton   comédie   costumes   loges
> décor   poulailler   rideau   metteur en scène

1   Appelez la couturière : les .... sont trop longs.

2   À la fin d'une représentation, le .... tombe.

3   Au début d'une représentation théâtrale, il existe une tradition : frapper trois coups de ....

4   Les comédiens s'habillent dans les ....

5   Nous allons voir une .... ou une tragédie ?

6   Le dernier étage où se trouvent les spectateurs s'appelle le ....

7   La personne qui réalise une pièce de théâtre s'appelle le .... ; par contre, pour un film, c'est un réalisateur.

8   Tous les objets sur scène font partie du ....

5 Cherchez dans la grille les noms de personnages de comédies musicales. Les lettres restantes formeront le titre de celle qui a lancé cette mode en France.

> Adam   Ali Baba   Cléopâtre   Esmeralda
> Ève   Juliette   Le Roi lion   Moïse   Mozart   Quasimodo
> Roi Soleil   Roméo   Shrek

R	O	I	S	O	L	E	I	L	Q
M	O	Z	A	R	T	S	J	E	U
N	O	M	A	D	A	M	U	R	A
T	E	V	E	R	E	E	L	O	S
-	D	A	M	O	E	R	I	I	I
A	L	I	B	A	B	A	E	L	M
-	D	E	-	P	A	L	T	I	O
R	M	O	I	S	E	D	T	O	D
I	S	H	R	E	K	A	E	N	O
S	C	L	E	O	P	A	T	R	E

Le titre du spectacle est ....

Grammaire

L'hypothèse

L'hypothèse peut porter sur un fait dans :

• le futur

si + présent de l'indicatif, futur

*Si elle choisit la sauterelle, tout **explosera**.*

Attention ! Si l'hypothèse sur le futur est vraiment proche ou exprime une généralité, on utilisera la construction :

si + présent de l'indicatif, présent de l'indicatif

*Si Christine est attachée, elle ne **peut** pas aider Raoul et le Persan.*

• le présent

si + imparfait, conditionnel présent

*Si Christine aimait Érik, il **serait** bon avec elle.*

• le passé

si + plus-que-parfait, conditionnel passé

*Si Christine avait aimé Érik, elle **aurait accepté** de l'épouser.*

6 **Conjuguez le verbe entre parenthèses au temps qui convient.**

1 Si j'avais le temps, je (*lire*) .... plus souvent le journal.

2 Si vous aimez le rock, vous (*aller*) .... au concert ce soir.

3 S'ils font du sport régulièrement, ils (*être*) .... en forme.

4 Si l'ouvreur ne voulait pas vous laisser entrer, vous (*insister*) .... ?

5 Si ton bus avait eu un problème, tu (*arriver*) .... en retard.

6 Si le spectacle avait été annulé, vous (*demander*) .... le remboursement de votre billet.

7 Si nous avions le temps, nous (*accompagner*) .... nos amis à la gare.

8 S'il pleut demain, je (*rester*) .... chez moi.

7 **Associez chaque fin de phrase à son début.**

1. ☐ Si nous allons au cinéma,
2. ☐ Si on découvrait une nouvelle planète,
3. ☐ Si elles avaient étudié davantage,
4. ☐ Si je range ma chambre,
5. ☐ Si tu regardais moins la télé,
6. ☐ Si vous continuez à manger entre les repas,

a. le professeur les aurait félicitées.
b. tu aurais le temps de venir au théâtre avec moi.
c. tu viens avec nous.
d. vous n'aurez pas faim ce soir.
e. on aurait peut-être de nouvelles ressources.
f. je pourrai aller au concert samedi.

8 **Complétez les phrases.**

1. Si j'avais assez d'argent, ...
2. Si le comédien est aphone, ...
3. Si Phœbus n'était pas si beau, ...
4. ...., vous passerez une agréable soirée.
5. ...., tu pourras participer au concours.
6. ...., Mufasa aurait survécu.
7. ...., il réussira à entrer dans la caverne.
8. Si l'opéra coûtait moins cher, ...

Production écrite et orale

DELF **9** **Votre professeur de musique veut créer une comédie musicale. Parlez de cette expérience dans votre journal intime en donnant vos impressions.**

Cher journal,
Le prof de musique nous a proposé de créer une comédie musicale.
Moi, je ....
....
....

1 **Complétez le résumé de l'histoire.**

1   .... est retrouvé pendu dans les sous-sols du théâtre.

2   Il paraît que le fantôme porte un .... noir et qu'il a une
     .... à la place du visage.

3   Christine remplace la diva espagnole tombée malade et interprète
     quelques passages d'opéras composés par ....

4   Raoul entend des voix dans la loge de Christine, il attend qu'elle
     sorte pour voir avec qui elle parlait, mais il se rend compte que la
     loge ....

5   Le fantôme de l'Opéra demande aux nouveaux directeurs,
     Moncharmin et Richard, de bien vouloir lui laisser libre la
     ....

6   Lors d'une représentation, le .... tombe sur le public et
     fait une victime : ....

7   Christine disparaît derrière le miroir de sa loge et un personnage
     mystérieux sort de l'obscurité, la fait monter sur .... et
     l'amène jusqu'à la ....

8   Raoul et Christine décide de .... après la dernière
     représentation de Christine, mais cette dernière ....
     pendant la représentation.

9   Le Persan aide Raoul à retrouver Christine. Il découvre le
     .... pour actionner l'........................ . Ainsi, ils arrivent à la
     ....

10 Le Persan découvre des tonneaux pleins de poudre. Si Christine
     refuse d'épouser Érik, ce dernier ....

11 Quand Christine retourne la boîte avec la sculpture du scorpion, la
     salle où se trouvent Raoul et le Persan ....

12 ...., le frère de Raoul, a été retrouvé mort. Érik s'est enfui
     avec ...., puis il l'a libérée.

2 Associez chaque phrase au personnage qui l'a prononcée.

a Christine   **c** Érik   **e** Le Persan   **g** Madame Giry

b Moncharmin   **d** Pampin   **f** Philippe   **h** Raoul

1 ☐ « La tête de feu n'avait pas de corps ! »

2 ☐ « Cette plaisanterie n'est vraiment plus amusante ! »

3 ☐ « Tu as probablement touché un chat. »

4 ☐ « Ce soir, je vous ai donné mon âme. »

5 ☐ « Je peux tout vous expliquer sur le fantôme. »

6 ☐ « Mademoiselle, je suis le petit garçon qui, il y a très longtemps, est allé récupérer votre écharpe dans la mer. »

7 ☐ « Maintenant que tu as vu mon visage, tu es à moi. »

8 ☐ « J'ai longtemps surveillé l'Opéra, car je savais qu'Érik était dangereux. »

3 Complétez les phrases en faisant attention à la concordance des temps.

1 Si Érik n'avait pas été amoureux de Christine,

....

2 Si le lustre n'était pas tombé pendant la représentation,

....

3 Si Érik était beau,

....

4 Si je vais à l'Opéra,

....

5 Si Christine aime Raoul,

....

6 Si Christine changeait de loge,

....

4 Complétez la grille avec le nom des personnages de l'histoire.

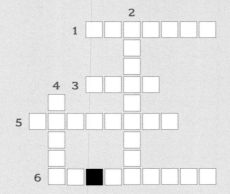

5 Associez chaque personnage à son métier.

1 ☐ Pampin   a architecte
2 ☐ Érik   b maître de chant
3 ☐ Le Persan   c directeur
4 ☐ Joseph Buquet   d danseuse étoile
5 ☐ Moncharmin   e chef machiniste
6 ☐ La Sorelli   f chef des pompiers
7 ☐ Madame Giry   g policier
8 ☐ Gabriel   h ouvreuse

16 6 Écoutez ces extraits de l'histoire et dites de quoi l'on parle.

1 C'est l'...
2 C'est une ....
3 Ce sont des ....
4 C'est ....
5 C'est le ....
6 C'est la ....

7 Transformez les phrases à la voix passive.

1 Les spectateurs regardent le spectacle.
....

2 Les comédiens joueront une pièce de Molière.
....

3 Madame Giry a accompagné les spectateurs à leur place.
....

4 Les nouveaux directeurs entendent la voix du fantôme dans la loge n°5.
....

8 **Complétez les phrases avec les connecteurs logiques proposés.**

comme   d'une part   enfin   parce qu'   puis   tout d'abord

1 ...., nous présenterons les bienfaits de l'art à l'école. D'autre part, nous vous ferons part des projets de la compagnie dans la région.

2 Il n'est pas venu .... il devait travailler.

3 Prenez le couloir de droite, ... vous trouverez la loge n°17.

4 .... le rideau s'est levé, puis la pièce a commencé.

5 Après avoir raté son bus, pris un taxi et payé 50 euros, il est .... arrivé au théâtre.

6 .... il déteste le chant lyrique, il a décidé de ne pas venir avec nous voir *Carmen*.

9 **Parmi les adjectifs proposés, cochez ceux qui concernent Érik.**

1 ☐ chanceux   6 ☐ malheureux

2 ☐ courageux   7 ☐ peureux

3 ☐ fou   8 ☐ raisonnable

4 ☐ intelligent   9 ☐ sensible

5 ☐ jaloux   10 ☐ sociable